LES PRÉCIEUSES RIDICULES
LES FEMMES SAVANTES

MOLIÈRE

Les précieuses ridicules
Les femmes savantes

MOLIÈRE
(1622-1673)

Jean-Baptiste Poquelin, fils d'un tapissier honoraire du roi, est baptisé le 15 janvier 1622. Les Poquelin sont des bourgeois aisés. Jean-Baptiste, dont la mère meurt lorsqu'il a dix ans, est éduqué chez les Jésuites, dans le meilleur collège de France. Puis il entreprend des études de droit. En 1637, il prête serment pour recueillir la charge de son père. Mais il rencontre Madeleine Béjart. Elle a trente ans, il en a vingt. Elle est actrice. Lorsque la famille Béjart fonde, en 1643, *l'Illustre Théâtre*, Jean-Baptiste Poquelin s'associe avec eux, et renonce à la succession paternelle.

Il devient rapidement le responsable de la troupe, et prend le nom de Molière en août 1644. La troupe joue à Paris. Mais les affaires sont mauvaises. Molière, en 1645, est même emprisonné pour dettes. Libéré, il part pour la province où il tournera treize années pendant lesquelles, jouant des tragédies, composant des comédies — aujourd'hui perdues —, il apprendra les ressorts du théâtre et de la nature humaine, protégé notamment du prince de Conti, troisième personnage du royaume, jusqu'à ce que ce dernier, devenu dévot, lui retire son soutien.

En 1658, sous le patronage de Monsieur, frère du roi, il donne devant Louis XIV *Nicomède* de Corneille, une tragédie qui ennuie le souverain, et *Le Docteur amou-*

reux, une comédie qui le fait rire aux éclats. Sa Majesté autorise la troupe à s'installer dans une salle parisienne, où elle joue des tragédies de Corneille qui remportent moins de succès que les comédies écrites par Molière : ainsi, *Les Précieuses ridicules* (1659) sont-elles un triomphe. Succèdent *Sganarelle* (où Molière reprend les « recettes » de la *commedia dell'arte*) puis *L'École des maris*, *L'Amour médecin*... Sa troupe s'est installée salle du Palais-Royal, l'actuelle Comédie-Française.

Le 20 février 1662, il épouse Armande Béjart, la fille de Madeleine. Pour elle, il écrira ses plus beaux rôles féminins. Ses succès, notamment avec *L'École des femmes* (1662), font des envieux. On l'accuse d'obscénité, on l'attaque sur sa vie privée. La réplique du roi, qui pensionne Molière, est cinglante : il décide d'être le parrain de Louis, fils de Molière et d'Armande Béjart, en février 1664. La Cour se tait. Car Molière a la faveur du roi, qu'il amuse. Mais le roi vieillit, et se rapproche du parti dévot. Il retire, devant le mécontentement de la Cour, son soutien à Molière, et interdit *Tartuffe* en 1664. Triste symbole : Louis, le petit filleul royal, meurt la même année. La pièce *Dom Juan*, l'année suivante, doit être retirée de l'affiche avant que le roi ne l'ait vue. Racine, pourtant ami de Molière et dont la troupe répète une pièce, la retire, pour la donner à une troupe concurrente.

Molière tombe malade. Et écrit, rendu amer par ces épreuves, *Le Misanthrope* (1666). En 1667, il parvient à faire rejouer *Tartuffe*. La pièce est aussitôt interdite. L'archevêque de Paris menace d'excommunication ceux qui représenteront, liront ou écouteront la pièce. Le roi, le 5 février 1669, l'autorise pourtant : c'est un triomphe.

Mais Molière, usé par les tracas, les cabales injustes et les ennuis de santé reste profondément blessé. Sa vie conjugale est un échec. Armande lui est infidèle. Il pardonne. Nouveaux triomphes, en 1670, avec *Le Bour-*

geois gentilhomme, en 1672 avec *Les Femmes savantes*. Molière le saltimbanque devient riche. Mais la mort guette : c'est d'abord Madeleine Béjart, la vieille maîtresse, mère d'Armande, complice de ses débuts, qui s'en va. Puis Pierre, un fils qui ne vit qu'un mois. Écarté de la Cour par Lulli, rongé par la maladie (sans doute la tuberculose), Molière monte *Le Malade imaginaire*. Le public, qui lui est resté fidèle, accourt le 17 février 1673. Bien qu'épuisé, Molière refuse de remettre la représentation. À la fin du spectacle, il est pris de convulsions. Il meurt dans la soirée.

L'Église, qui ne lui a jamais pardonné de s'être moqué d'elle, refuse qu'il soit enterré dans un cimetière catholique. Il faut que Louis XIV intervienne pour que l'auteur le plus comique de la littérature française soit enfin inhumé dans un endroit réservé aux non-baptisés.

PRÉSENTATION DES *PRÉCIEUSES RIDICULES*

La fulgurante carrière parisienne de Molière ne débuta réellement qu'en 1658, au bout de treize années de tournées provinciales, période de formation au cours de laquelle, comme directeur de compagnie, comme comédien et comme auteur comique, il mûrit son art et forgea sa personnalité.

1658, disons-nous... Une étrange mode — un étrange mal ? — qui saisit, ou plutôt frappe, la haute société parisienne depuis les lendemains de la Fronde, connaît, cette année-là, son apogée. À la cour comme dans les beaux salons où se font et se défont les gloires politiques et littéraires (celui de Ninon de Lenclos, mais surtout celui de Mlle de Scudéry), chez les grands bourgeois comme dans les hôtels particuliers du Marais, on ne se pique que d'une chose : tourner des sonnets et des madrigaux, rivaliser, jusqu'au ridicule, d'esprit et de bonnes manières, discuter art, grammaire et langue jusqu'au comble de la sophistique, bref : rivaliser de *préciosité* ! On y cultive avec fureur l'art de la conversation quintessenciée : n'ont plus de limites les circonvolutions syntaxiques, les cascades d'adverbes, les torrents d'épithètes, la pléthore d'adjectifs substantivés (« Nous n'avons garde de donner de notre sérieux dans le doux de votre flatterie », *Précieuses*, sc. 9), l'inflation des métaphores (« Ce fauteuil, contentez un peu l'envie qu'il a, Monsieur, de vous embrasser », *ibid.*). Et ce sont les femmes qui en sont le plus piquées !

Veni, vidi, vici. Molière arrive, s'installe dans la capitale, observe tout cela d'un regard d'aigle et, sans coup férir, donne *Les Précieuses ridicules*. À partir du 18 novembre 1659, tout Paris se précipite au théâtre du Petit-Bourbon pour leur faire un triomphe.

La clarté linéraire de l'intrigue de cette comédie en un seul acte contribua à son éclatant et durable succès. Deux précieuses indécrottables, Cathos et Magdelon — « deux pecques provinciales » (sc. 1) —, font le désespoir du brave Gorgibus, leur père et oncle. Le vieux bonhomme leur propose deux excellents partis, La Grange et Du Croisy, mais les deux jolies pécores les refusent net : ces messieurs ne sont pas assez *précieux* à leur goût ! Éconduits, les jeunes gens envoient alors aux deux cousines leurs valets, Mascarille et Jodelet, grimés et enrubannées en vicomte et marquis ridicules. Les valets font leur cour ; leurs hyperboliques assauts de *préciosité* font se pâmer les belles quand, soudain, surgissent les maîtres, qui rossent comme plâtre les deux cuistres sous les yeux des deux précieuses ridiculisées. Et le vieux Gorgibus de tirer la morale de la farce en envoyant à tous les diables les précieux, et la préciosité, cause de toute cette folie.

Dans les *Précieuses*, deux principes essentiels du théâtre de Molière se mettent définitivement en place : plaire au public (« Le public est juge absolu », dit l'auteur dans sa préface) et peindre les gens « d'après nature ». Avec un art déjà consommé, le génie comique de Molière y marie l'esprit de l'ancienne farce à la française (notament celle d'un Cyrano de Bergerac et d'un Scarron) à celui de la comédie italienne, avec ses masques enfarinés et ses bastonnades à toute volée. À la cour comme en ville, on en rit aux larmes aux dépens des précieux ridiculisés.

Coup d'essai de Molière, sur la scène parisienne, ses *Précieuses ridicules* furent un coup de maître, un triomphe inaugural dans sa carrière, à l'instar du *Cid*, vingt ans plus tôt, dans la carrière de Corneille.

LES PRÉCIEUSES RIDICULES

COMÉDIE

REPRÉSENTÉE POUR LA PREMIÈRE FOIS
SUR LE THÉÂTRE DU PETIT-BOURBON
LE 18 NOVEMBRE 1659
PAR LA

TROUPE DE MONSIEUR, FRÈRE UNIQUE DU ROI

PRÉFACE

C'est une chose étrange qu'on imprime les gens malgré eux. Je ne vois rien de si injuste, et je pardonnerais toute autre violence plutôt que celle-là.

Ce n'est pas que je veuille faire ici l'auteur modeste, et mépriser, par honneur, ma comédie. J'offenserais mal à propos tout Paris, si je l'accusais d'avoir pu applaudir à une sottise. Comme le public est le juge absolu de ces sortes d'ouvrages, il y aurait de l'impertinence à moi de le démentir ; et, quand j'aurais eu la plus mauvaise opinion du monde de mes *Précieuses ridicules* avant leur représentation, je dois croire maintenant qu'elles valent quelque chose, puisque tant de gens ensemble en ont dit du bien. Mais, comme une grande partie des grâces qu'on y a trouvées dépendent de l'action et du ton de voix, il m'importait qu'on ne les dépouillât pas de ces ornements ; et je trouvais que le succès qu'elles avaient eu dans la représentation était assez beau pour en demeurer là. J'avais résolu, dis-je, de ne les faire voir qu'à la chandelle, pour ne point donner lieu à quelqu'un de dire le proverbe ; et je ne voulais pas qu'elles sautassent du théâtre de Bourbon dans la galerie du Palais. Cependant je n'ai pu l'éviter, et je suis tombé dans la disgrâce de voir une copie dérobée de ma pièce entre les mains des libraires, accompagnée d'un privilège obtenu par surprise. J'ai eu beau crier : O temps ! ô mœurs ! on m'a fait voir une nécessité pour moi d'être imprimé, ou d'avoir un procès ; et le dernier mal est encore pire que le premier. Il faut donc se laisser aller à la destinée, et consentir à une chose qu'on ne laisserait pas de faire sans moi.

Mon Dieu ! l'étrange embarras qu'un livre à mettre au jour, et qu'un auteur est neuf la première fois qu'on l'imprime ! Encore si l'on m'avait donné du temps, j'aurais pu mieux songer à moi, et j'aurais pris toutes les précautions que messieurs les auteurs, à présent mes confrères, ont coutume de prendre en semblables occasions. Outre quelque grand seigneur que j'aurais été prendre malgré lui pour protecteur de mon ouvrage, et dont j'aurais tenté la libéralité par une épître dédicatoire bien fleurie, j'aurais tâché de faire une belle et docte préface ; et je ne manque point de livres qui m'auraient fourni tout ce qu'on peut dire de savant sur la tragédie et la comédie, l'étymologie de toutes deux, leur origine, leur définition et le reste.

J'aurais parlé aussi à mes amis, qui, pour la recommandation de ma pièce, ne m'auraient pas refusé, ou des vers français, ou des vers latins. J'en ai même qui m'auraient loué en grec, et l'on n'ignore pas qu'une louange en grec est d'une merveilleuse efficace à la tête d'un livre. Mais on me met au jour sans me donner le loisir de me reconnaître ; et je ne puis même obtenir la liberté de dire deux mots pour justifier mes intentions sur le sujet de cette comédie. J'aurais voulu faire voir qu'elle se tient partout dans les bornes de la satire honnête et permise ; que les plus excellentes choses sont sujettes à être copiées par de mauvais singes, qui méritent d'être bernés ; que ces vicieuses imitations de ce qu'il y a de plus parfait ont été de tout temps la matière de la comédie ; et que, par la même raison les véritables savants et les vrais braves ne se sont point encore avisés de s'offenser du Docteur de la comédie, et du Capitan ; non plus que les juges, les princes et les rois, de voir Trivelin, ou quelque autre, sur le théâtre, faire ridiculement le juge, le prince ou le roi : aussi les véritables précieuses auraient tort de se piquer, lorsqu'on joue les ridicules qui les imitent mal. Mais enfin, comme j'ai dit, on ne me laisse pas le temps de respirer, et M. de Luyne veut m'aller relier de ce pas : à la bonne heure, puisque Dieu l'a voulu.

PERSONNAGES

LA GRANGE
DU CROISY } amants rebutés.

GORGIBUS, bon bourgeois.

MAGDELON, fille de Gorgibus, précieuse ridicule.

CATHOS, nièce de Gorgibus, précieuse ridicule.

MAROTTE, servante des précieuses ridicules.

ALMANZOR, laquais des précieuses ridicules.

LE MARQUIS DE MASCARILLE, valet de la Grange.

LE VICOMTE DE JODELET, valet de du Croisy.

DEUX PORTEURS DE CHAISE.

VOISINES.

VIOLONS.

SCÈNE I

LA GRANGE, DU CROISY

DU CROISY. — Seigneur La Grange...

LA GRANGE. — Quoi ?

DU CROISY. — Regardez-moi un peu sans rire.

LA GRANGE. — Eh bien ?

DU CROISY. — Que dites-vous de notre visite ? en êtes-vous fort satisfait ?

LA GRANGE. — A votre avis, avons-nous sujet de l'être tous deux ?

DU CROISY. — Pas tout à fait, à dire vrai.

LA GRANGE. — Pour moi, je vous avoue que j'en suis tout scandalisé. A-t-on jamais vu, dites-moi, deux pecques provinciales faire plus les renchéries que celles-là, et deux hommes traités avec plus de mépris que nous ? A peine ont-elles pu se résoudre à nous faire donner des sièges. Je n'ai jamais vu tant parler à l'oreille qu'elles ont fait entre elles, tant bâiller, tant se frotter les yeux, et demander tant de fois : « Quelle heure est-il ? » Ont-elles répondu que oui et non à tout ce que nous avons pu leur dire ? Et ne m'avouerez-vous pas enfin que, quand nous aurions été les dernières personnes du monde, on ne pouvait nous faire pis qu'elles ont fait ?

Du Croisy. — Il me semble que vous prenez la chose fort à cœur.

La Grange. — Sans doute, je l'y prends, et de telle façon, que je veux me venger de cette impertinence. Je connais ce qui nous a fait mépriser. L'air précieux n'a pas seulement infecté Paris, il s'est aussi répandu dans les provinces, et nos donzelles ridicules en ont humé leur bonne part. En un mot, c'est un ambigu de précieuse et de coquette que leur personne. Je vois ce qu'il faut être pour en être bien reçu ; et si vous m'en croyez, nous leur jouerons tous deux une pièce qui leur fera voir leur sottise, et pourra leur apprendre à connaître un peu mieux leur monde.

Du Croisy. — Et comment encore ?

La Grange. — J'ai un certain valet, nommé Mascarille, qui passe, au sentiment de beaucoup de gens, pour une manière de bel esprit ; car il n'y a rien à meilleur marché que le bel esprit maintenant. C'est un extravagant, qui s'est mis dans la tête de vouloir faire l'homme de condition. Il se pique ordinairement de galanterie et de vers, et dédaigne les autres valets, jusqu'à les appeler brutaux.

Du Croisy. — Eh bien ! qu'en prétendez-vous faire ?

La Grange. — Ce que j'en prétends faire ? Il faut... Mais sortons d'ici auparavant.

SCÈNE II

GORGIBUS, DU CROISY, LA GRANGE

Gorgibus. — Eh bien ! vous avez vu ma nièce et ma fille : les affaires iront-elles bien ? Quel est le résultat de cette visite ?

La Grange. — C'est une chose que vous pourrez mieux apprendre d'elles que de nous. Tout ce que nous pouvons vous dire, c'est que nous vous rendons grâce de la faveur que vous nous avez faite, et demeurons vos très humbles serviteurs.

GORGIBUS. — Ouais ! il semble qu'ils sortent mal satisfaits d'ici. D'où pourrait venir leur mécontentement ? Il faut savoir un peu ce que c'est. Holà !

SCÈNE III

MAROTTE, GORGIBUS

MAROTTE. — Que désirez-vous, Monsieur ?

GORGIBUS. — Où sont vos maîtresses ?

MAROTTE. — Dans leur cabinet.

GORGIBUS. — Que font-elles ?

MAROTTE. — De la pommade pour les lèvres.

GORGIBUS. — C'est trop pommadé. Dites-leur qu'elles descendent. Ces pendardes-là, avec leur pommade, ont, je pense, envie de me ruiner. Je ne vois partout que blancs d'œufs, lait virginal, et mille autres brimborions que je ne connais point. Elles ont usé, depuis que nous sommes ici, le lard d'une douzaine de cochons, pour le moins, et quatre valets vivraient tous les jours des pieds de mouton qu'elles emploient.

SCÈNE IV

MAGDELON, CATHOS, GORGIBUS

GORGIBUS. — Il est bien nécessaire vraiment de faire tant de dépense pour vous graisser le museau. Dites-moi un peu ce que vous avez fait à ces Messieurs, que je les vois sortir avec tant de froideur ? Vous avais-je pas commandé de les recevoir comme des personnes que je voulais vous donner pour maris ?

MAGDELON. — Et quelle estime, mon père, voulez-vous que nous fassions du procédé irrégulier de ces gens-là ?

CATHOS. — Le moyen, mon oncle, qu'une fille un peu raisonnable se pût accommoder de leur personne ?

GORGIBUS. — Et qu'y trouvez-vous à redire ?

MAGDELON. — La belle galanterie que la leur ! Quoi ? débuter d'abord par le mariage !

GORGIBUS. — Et par où veux-tu donc qu'ils débutent ? par le concubinage ? N'est-ce pas un procédé dont vous avez sujet de vous louer toutes deux aussi bien que moi ? Est-il rien de plus obligeant que cela ? Et ce lien sacré où ils aspirent, n'est-il pas un témoignage de l'honnêteté de leurs intentions ?

MAGDELON. — Ah ! mon père, ce que vous dites là est du dernier bourgeois. Cela me fait honte de vous ouïr parler de la sorte, et vous devriez un peu vous faire apprendre le bel air des choses.

GORGIBUS. — Je n'ai que faire ni d'air ni de chanson. Je te dis que le mariage est une chose simple et sacrée, et que c'est faire en honnêtes gens que de débuter par là.

MAGDELON. — Mon Dieu, que, si tout le monde vous ressemblait, un roman serait bientôt fini ! La belle chose que ce serait si d'abord Cyrus épousait Mandane, et qu'Aronce de plain-pied fût marié à Clélie !

GORGIBUS. — Que me vient conter celle-ci ?

MAGDELON. — Mon père, voilà ma cousine qui vous dira, aussi bien que moi, que le mariage ne doit jamais arriver qu'après les autres aventures. Il faut qu'un amant, pour être agréable, sache débiter les beaux sentiments, pousser le doux, le tendre et le passionné, et que sa recherche soit dans les formes. Premièrement, il doit voir au temple, ou à la promenade, ou dans quelque cérémonie publique, la personne dont il devient amoureux ; ou bien être conduit fatalement chez elle par un parent ou un ami, et sortir de là tout rêveur et mélancolique. Il cache un temps sa passion à l'objet aimé, et cependant lui rend plusieurs visites, où l'on ne manque jamais de mettre sur le tapis une question galante qui exerce les esprits de l'assemblée. Le jour de la déclaration arrive, qui se doit faire ordinairement dans une allée de quelque jardin, tandis que la compagnie s'est un peu éloignée ; et cette déclaration est suivie d'un prompt courroux, qui paraît à notre rougeur, et qui, pour un temps, bannit l'amant de notre présence. Ensuite il trouve moyen de nous apaiser, de nous accoutumer insensiblement au discours de sa passion, et de tirer de nous cet aveu qui fait tant de peine. Après cela viennent les aventures, les rivaux qui se jettent à la traverse d'une inclination établie, les persécutions des pères, les jalousies conçues sur de fausses apparences, les plaintes, les désespoirs, les enlèvements, et ce qui s'ensuit. Voilà comme les choses se traitent dans les belles manières et ce sont des règles dont, en bonne galanterie, on ne saurait se dispenser. Mais en venir de but en blanc à l'union conjugale, ne faire l'amour qu'en faisant le contrat du mariage, et prendre justement le roman par la queue ! encore un coup, mon père, il ne se peut rien de plus marchand que ce procédé ; et j'ai mal au cœur de la seule vision que cela me fait.

GORGIBUS. — Quel diable de jargon entends-je ici ? Voici bien du haut style.

CATHOS. — En effet, mon oncle, ma cousine donne dans le vrai de la chose. Le moyen de bien recevoir des gens qui sont tout à fait incongrus en galanterie ? Je m'en vais gager qu'ils n'ont jamais vu la carte de Tendre, et que Billets-Doux, Petits-Soins, Billets-Galants et Jolis-Vers sont des terres inconnues pour eux. Ne voyez-vous pas que toute leur personne marque cela, et qu'ils n'ont point cet air qui donne d'abord bonne opinion des gens ? Venir en visite amoureuse avec une jambe toute unie, un chapeau désarmé de plumes, une tête irrégulière en cheveux, et un habit qui souffre une indigence de rubans !... mon Dieu, quels amants sont-ce là ! Quelle frugalité d'ajustement et quelle sécheresse de conversation ! On n'y dure point, on n'y tient pas. J'ai remarqué encore que leurs rabats ne sont pas de la bonne faiseuse, et qu'il s'en faut plus d'un grand demi-pied que leurs hauts-de-chausses ne soient assez larges.

GORGIBUS. — Je pense qu'elles sont folles toutes deux, et je ne puis rien comprendre à ce baragouin. Cathos, et vous, Magdelon...

MAGDELON. — Eh ! de grâce, mon père, défaites-vous de ces noms étranges, et nous appelez autrement.

GORGIBUS. — Comment, ces noms étranges ! Ne sont-ce pas vos noms de baptême ?

MAGDELON. — Mon Dieu, que vous êtes vulgaire ! Pour moi, un des mes étonnements, c'est que vous ayez pu faire une fille si spirituelle que moi. A-t-on jamais parlé dans le beau style de Cathos ni de Magdelon ? et ne m'avouerez-vous pas que ce serait assez d'un de ces noms pour décrier le plus beau roman du monde ?

CATHOS. — Il est vrai, mon oncle, qu'une oreille un peu délicate pâtit furieusement à entendre prononcer ces mots-là ; et le nom de Polyxène que ma cousine a choisi, et celui d'Aminte que je me suis donné, ont une grâce dont il faut que vous demeuriez d'accord.

GORGIBUS. — Écoutez, il n'y a qu'un mot qui serve : je n'entends point que vous ayez d'autres noms que ceux qui vous ont été donnés par vos parrains et marraines ; et pour ces Messieurs dont il est question, je connais leurs familles et leurs biens, et je veux résolument que vous vous disposiez à les recevoir pour maris. Je me lasse de vous avoir sur les bras, et la garde de deux filles est une charge un peu trop pesante pour un homme de mon âge.

CATHOS. — Pour moi, mon oncle, tout ce que je vous puis dire, c'est que je trouve le mariage une chose tout à fait choquante. Comment est-ce qu'on peut souffrir la pensée de coucher contre un homme vraiment nu ?

MAGDELON. — Souffrez que nous prenions un peu haleine parmi le beau monde de Paris, où nous ne faisons que d'arriver. Laissez-nous faire à loisir le tissu de notre roman, et n'en pressez point tant la conclusion.

GORGIBUS. — Il n'en faut point douter, elles sont achevées. Encore un coup, je n'entends rien à toutes ces balivernes ; je veux être maître absolu ; et pour trancher toutes sortes de discours, ou vous serez mariées toutes deux avant qu'il soit peu, ou, ma foi ! vous serez religieuses : j'en fais un bon serment.

SCÈNE V

CATHOS, MAGDELON

CATHOS. — Mon Dieu ! ma chère, que ton père a la forme enfoncée dans la matière ! que son intelligence est épaisse et qu'il fait sombre dans son âme !

MAGDELON. — Que veux-tu, ma chère ? J'en suis en confusion pour lui. J'ai peine à me persuader que je puisse être véritablement sa fille, et je crois que quelque aventure, un jour, me viendra développer une naissance plus illustre.

CATHOS. — Je le croirais bien ; oui, il y a toutes les apparences du monde ; et pour moi, quand je me regarde aussi...

SCÈNE VI

MAROTTE, CATHOS, MAGDELON

MAROTTE. — Voilà un laquais qui demande si vous êtes au logis, et dit que son maître vous veut venir voir.

MAGDELON. — Apprenez, sotte, à vous énoncer moins vulgairement. Dites : « Voilà un nécessaire qui demande si vous êtes en commodité d'être visibles. »

MAROTTE. — Dame ! je n'entends point le latin, et je n'ai pas appris, comme vous, la filofie dans *le Grand Cyre*.

MAGDELON. — L'impertinente ! Le moyen de souffrir cela ? Et qui est-il, le maître de ce laquais ?

MAROTTE. — Il me l'a nommé le marquis de Mascarille.

MAGDELON. — Ah ! ma chère, un marquis ! Oui, allez dire qu'on nous peut voir. C'est sans doute un bel esprit qui aura ouï parler de nous.

CATHOS. — Assurément, ma chère.

MAGDELON. — Il faut le recevoir dans cette salle basse, plutôt qu'en notre chambre. Ajustons un peu nos cheveux au moins, et soutenons notre réputation. Vite, venez nous tendre ici dedans le conseiller des grâces.

MAROTTE. — Par ma foi, je ne sais point quelle bête c'est là : il faut parler chrétien, si vous voulez que je vous entende.

CATHOS. — Apportez-nous le miroir, ignorante que vous êtes, et gardez-vous bien d'en salir la glace par la communication de votre image.

SCÈNE VII

MASCARILLE, DEUX PORTEURS

MASCARILLE. — Holà, porteurs, holà ! Là, là, là, là, là. Je pense que ces marauds-là ont dessein de me briser à force de heurter contre les murailles et les pavés.

PREMIER PORTEUR. — Dame ! c'est que la porte est étroite : vous avez voulu aussi que nous soyons entrés jusqu'ici.

MASCARILLE. — Je le crois bien. Voudriez-vous, faquins, que j'exposasse l'embonpoint de mes plumes aux inclémences de la saison pluvieuse, et que j'allasse imprimer mes souliers en boue ? Allez, ôtez votre chaise d'ici.

DEUXIÈME PORTEUR. — Payez-nous donc, s'il vous plaît, Monsieur.

MASCARILLE. — Hem ?

DEUXIÈME PORTEUR. — Je dis, Monsieur, que vous nous donniez de l'argent, s'il vous plaît.

MASCARILLE , *lui donnant un soufflet* .— Comment, coquin, demander de l'argent à une personne de ma qualité !

DEUXIÈME PORTEUR. — Est-ce ainsi qu'on paye les pauvres gens ? et votre qualité nous donne-t-elle à dîner ?

MASCARILLE. — Ah ! ah ! ah ! je vous apprendrai à vous connaître ! Ces canailles-là s'osent jouer à moi.

PREMIER PORTEUR , *prenant un des bâtons de sa chaise* .— Çà ! payez-nous vitement !

MASCARILLE. — Quoi ?

PREMIER PORTEUR. — Je dis que je veux avoir de l'argent tout à l'heure.

MASCARILLE. — Il est raisonnable.

PREMIER PORTEUR. — Vite donc.

MASCARILLE. — Oui-da. Tu parles comme il faut, toi ; mais l'autre est un coquin qui ne sait ce qu'il dit. Tiens : es-tu content ?

PREMIER PORTEUR. — Non, je ne suis pas content : vous avez donné un soufflet à mon camarade, et...

MASCARILLE. — Doucement. Tiens, voilà pour le soufflet. On obtient tout de moi quand on s'y prend de la bonne façon. Allez, venez me reprendre tantôt pour aller au Louvre, au petit coucher.

SCÈNE VIII

MAROTTE, MASCARILLE

MAROTTE. — Monsieur, voilà mes maîtresses qui vont venir tout à l'heure.

MASCARILLE. — Qu'elles ne se pressent point : je suis ici posté commodément pour attendre.

MAROTTE. — Les voici.

SCÈNE IX

MAGDELON, CATHOS, MASCARILLE, ALMANZOR

MASCARILLE, *après avoir salué*. — Mesdames, vous serez surprises, sans doute, de l'audace de ma visite ; mais votre réputation vous attire cette méchante affaire, et le mérite a pour moi des charmes si puissants, que je cours partout après lui.

MAGDELON. — Si vous poursuivez le mérite, ce n'est pas sur nos terres que vous devez chasser.

CATHOS. — Pour voir chez nous le mérite, il a fallu que vous l'y ayez amené.

MASCARILLE. — Ah ! je m'inscris en faux contre vos paroles. La renommée accuse juste en contant ce que vous valez ; et vous allez faire pic, repic et capot tout ce qu'il y a de galant dans Paris.

MAGDELON. — Votre complaisance pousse un peu trop avant la libéralité de ses louanges ; et nous n'avons garde, ma cousine et moi, de donner de notre sérieux dans le doux de votre flatterie.

CATHOS. — Ma chère, il faudrait faire donner des sièges.

MAGDELON. — Holà, Almanzor !

ALMANZOR. — Madame.

MAGDELON. — Vite, voiturez-nous ici les commodités de la conversation.

MASCARILLE. — Mais au moins, y a-t-il sûreté ici pour moi ?

CATHOS. — Que craignez-vous ?

MASCARILLE. — Quelque vol de mon cœur, quelque

assassinat de ma franchise. Je vois ici des yeux qui ont la mine d'être de fort mauvais garçons, de faire insulte aux libertés, et de traiter une âme de Turc à More. Comment diable, d'abord qu'on les approche, ils se mettent sur leur garde meurtrière ? Ah ! par ma foi, je m'en défie, et je m'en vais gagner au pied, ou je veux caution bourgeoise qu'ils ne me feront point de mal.

MAGDELON. — Ma chère, c'est le caractère enjoué.

CATHOS. — Je vois bien que c'est un Amilcar.

MAGDELON. — Ne craignez rien : nos yeux n'ont point de mauvais desseins, et votre cœur peut dormir en assurance sur leur prud'homie.

CATHOS. — Mais de grâce, Monsieur, ne soyez pas inexorable à ce fauteuil qui vous tend les bras il y a un quart d'heure ; contentez un peu l'envie qu'il a de vous embrasser.

MASCARILLE , *après s'être peigné et avoir ajusté ses canons* .— Eh bien, Mesdames, que dites-vous de Paris ?

MAGDELON. — Hélas ! qu'en pourrions-nous dire ? Il faudrait être l'antipode de la raison, pour ne pas confesser que Paris est le grand bureau des merveilles, le centre du bon goût, du bel esprit et de la galanterie.

MASCARILLE. — Pour moi, je tiens que hors de Paris, il n'y a point de salut pour les honnêtes gens.

CATHOS. — C'est une vérité incontestable.

MASCARILLE. — Il y fait un peu crotté ; mais nous avons la chaise.

MAGDELON. — Il est vrai que la chaise est un retranchement merveilleux contre les insultes de la boue et du mauvais temps.

MASCARILLE. — Vous recevez beaucoup de visites : quel bel esprit est des vôtres ?

MAGDELON. — Hélas ! nous ne sommes pas encore connues ; mais nous sommes en passe de l'être, et nous avons une amie particulière qui nous a promis d'amener ici tous ces Messieurs du *Recueil des pièces choisies*.

CATHOS. — Et certains autres qu'on nous a nommés aussi pour être les arbitres souverains des belles choses.

MASCARILLE. — C'est moi qui ferai votre affaire mieux que personne : ils me rendent tous visite ; et je puis dire que je ne me lève jamais sans une demi-douzaine de beaux esprits.

MAGDELON. — Eh ! mon Dieu, nous vous serons obligées de la dernière obligation, si vous nous faites cette amitié ; car enfin il faut avoir la connaissance de tous ces Messieurs-là, si l'on veut être du beau monde. Ce sont ceux qui donnent le branle à la réputation dans Paris, et vous savez qu'il y en a tel dont il ne faut que la seule fréquentation pour vous donner bruit de connaisseuse, quand il n'y aurait rien autre chose que cela. Mais pour moi, ce que je considère particulièrement, c'est que, par le moyen de ces visites spirituelles, on est instruite de cent choses qu'il faut savoir de nécessité, et qui sont de l'essence d'un bel esprit. On apprend par là chaque jour les petites nouvelles galantes, les jolis commerces de prose et de vers. On sait à point nommé : « Un tel a composé la plus jolie pièce du monde sur un tel sujet ; une telle a fait des paroles sur un tel air ; celui-ci a fait un madrigal sur une jouissance ; celui-là a composé des stances sur une infidélité ; Monsieur un tel écrivit hier au soir un sixain à Mademoiselle une telle, dont elle lui a envoyé la réponse ce matin sur les huit heures ; un tel auteur a fait un tel dessein ; celui-là en est à la troisième partie de son roman ; cet autre met ses ouvrages sous la presse. » C'est là ce qui vous fait valoir dans les compagnies ; et si l'on ignore ces choses, je ne donnerais pas un clou de tout l'esprit qu'on peut avoir.

CATHOS. — En effet, je trouve que c'est renchérir sur le ridicule, qu'une personne se pique d'esprit et ne sache pas jusqu'au moindre petit quatrain qui se fait chaque jour ; et pour moi, j'aurais toutes les hontes du monde s'il fallait qu'on vînt à me demander si j'aurais vu quelque chose de nouveau que je n'aurais pas vu.

MASCARILLE. — Il est vrai qu'il est honteux de n'avoir pas des premiers tout ce qui se fait ; mais ne vous mettez pas en peine : je veux établir chez vous une Académie de beaux esprits, et je vous promets qu'il ne se fera pas un bout de vers dans Paris que vous ne sachiez par cœur avant tous les autres. Pour moi, tel que vous me voyez, je m'en escrime un peu quand je veux ; et vous verrez courir de ma façon, dans les belles ruelles de Paris, deux cents chansons, autant de sonnets, quatre cents épigrammes et plus de mille madrigaux, sans compter les énigmes et les portraits.

MAGDELON. — Je vous avoue que je suis furieusement pour les portraits ; je ne vois rien de si galant que cela.

MASCARILLE. — Les portraits sont difficiles, et demandent un esprit profond : vous en verrez de ma manière qui ne vous déplairont pas.

CATHOS. — Pour moi, j'aime terriblement les énigmes.

MASCARILLE. — Cela exerce l'esprit, et j'en ai fait quatre encore ce matin, que je vous donnerai à deviner.

MAGDELON. — Les madrigaux sont agréables, quand ils sont bien tournés.

MASCARILLE. — C'est mon talent particulier ; et je travaille à mettre en madrigaux toute l'histoire romaine.

MAGDELON. — Ah ! certes, cela sera du dernier beau. J'en retiens un exemplaire au moins, si vous le faites imprimer.

MASCARILLE. — Je vous en promets à chacune un, et des mieux reliés. Cela est au-dessous de ma condition ; mais je le fais seulement pour donner à gagner aux libraires qui me persécutent.

MAGDELON. — Je m'imagine que le plaisir est grand de se voir imprimé.

MASCARILLE. — Sans doute. Mais à propos, il faut que je vous dise un impromptu que je fis hier chez une duchesse de mes amies que je fus visiter ; car je suis diablement fort sur les impromptus.

CATHOS. — L'impromptu est justement la pierre de touche de l'esprit.

MASCARILLE. — Écoutez donc.

MAGDELON. — Nous y sommes de toutes nos oreilles.

MASCARILLE

Oh ! oh ! je n'y prenais pas garde :
Tandis que, sans songer à mal, je vous regarde,
Votre œil en tapinois me dérobe mon cœur.
Au voleur, au voleur, au voleur, au voleur !

CATHOS. — Ah ! mon Dieu ! voilà qui est poussé dans le dernier galant.

MASCARILLE. — Tout ce que je fais a l'air cavalier ; cela ne sent point le pédant.

MAGDELON. — Il en est éloigné de plus de deux mille lieues.

MASCARILLE. — Avez-vous remarqué ce commencement : *Oh, oh ?* Voilà qui est extraordinaire : *oh, oh !* Comme un homme qui s'avise tout d'un coup : *oh, oh !* La surprise : *oh, oh !*

MAGDELON. — Oui, je trouve ce *oh, oh !* admirable.

MASCARILLE. — Il semble que cela ne soit rien.

CATHOS. — Ah ! mon Dieu, que dites-vous ? Ce sont là de ces sortes de choses qui ne se peuvent payer.

MAGDELON. — Sans doute ; et j'aimerais mieux avoir fait ce *oh, oh !* qu'un poème épique.

MASCARILLE. — Tudieu ! vous avez le goût bon.

MAGDELON. — Eh ! je ne l'ai pas tout à fait mauvais.

MASCARILLE. — Mais n'admirez-vous pas aussi *je n'y prenais pas garde ? Je n'y prenais pas garde*, je ne m'apercevais pas de cela : façon de parler naturelle : *je n'y prenais pas garde. Tandis que sans songer à mal*, tandis qu'innocemment, sans malice, comme un pauvre mouton ; *je vous regarde*, c'est-à-dire, je m'amuse à vous considérer, je vous observe, je vous contemple ; *Votre œil en tapinois...* Que vous semble de ce mot *tapinois ?* n'est-il pas bien choisi ?

CATHOS. — Tout à fait bien.

MASCARILLE. — *Tapinois*, en cachette : il semble que ce soit un chat qui vienne de prendre une souris : *tapinois*.

MAGDELON. — Il ne se peut rien de mieux.

MASCARILLE. — *Me dérobe mon cœur*, me l'emporte, me le ravit. *Au voleur, au voleur, au voleur, au voleur !* Ne diriez-vous pas que c'est un homme qui crie et court après un voleur pour le faire arrêter ? *Au voleur, au voleur, au voleur, au voleur !*

MAGDELON. — Il faut avouer que cela a un tour spirituel et galant.

MASCARILLE. — Je veux vous dire l'air que j'ai fait dessus.

CATHOS. — Vous avez appris la musique ?

MASCARILLE. — Moi ? Point du tout.

CATHOS. — Et comment donc cela se peut-il ?

MASCARILLE. — Les gens de qualité savent tout sans avoir jamais rien appris.

MAGDELON. — Assurément, ma chère.

MASCARILLE. — Écoutez si vous trouverez l'air à votre goût. *Hem, hem. La, la, la, la, la*. La brutalité de la saison a furieusement outragé la délicatesse de ma voix ; mais il n'importe, c'est à la cavalière.

(Il chante.)

Oh, oh ! je n'y prenais pas...

CATHOS. — Ah ! que voilà un air qui est passionné ! Est-ce qu'on n'en meurt point ?

MAGDELON. — Il y a de la chromatique là-dedans.

MASCARILLE. — Ne trouvez-vous pas la pensée bien exprimée dans le chant ? *Au voleur !...* Et puis, comme si l'on criait bien fort : *au, au, au, au, au, au, voleur !* Et tout d'un coup, comme une personne essoufflée : *au voleur !*

MAGDELON. — C'est là savoir le fin des choses, le grand fin, le fin du fin. Tout est merveilleux, je vous assure ; je suis enthousiasmée de l'air et des paroles.

CATHOS. — Je n'ai encore rien vu de cette force-là.

MASCARILLE. — Tout ce que je fais me vient naturellement, c'est sans étude.

MAGDELON. — La nature vous a traité en vraie mère passionnée, et vous en êtes l'enfant gâté.

MASCARILLE. — A quoi donc passez-vous le temps ?

CATHOS. — A rien du tout.

MAGDELON. — Nous avons été jusqu'ici dans un jeûne effroyable de divertissements.

MASCARILLE. — Je m'offre à vous mener l'un de ces jours à la comédie, si vous voulez ; aussi bien on en doit jouer une nouvelle que je serai bien aise que nous voyions ensemble.

MAGDELON. — Cela n'est pas de refus.

MASCARILLE. — Mais je vous demande d'applaudir comme il faut, quand nous serons là ; car je me suis engagé de faire valoir la pièce, et l'auteur m'en est venu prier encore ce matin. C'est la coutume ici qu'à nous autres gens de condition les auteurs viennent lire leurs pièces nouvelles, pour nous engager à les trouver belles, et leur donner de la réputation ; et je vous laisse à penser si, quand nous disons quelque chose, le parterre ose nous contredire. Pour moi, j'y suis fort exact ; et quand j'ai promis à quelque poète, je crie toujours : « Voilà qui est beau ! » devant que les chandelles soient allumées.

MAGDELON. — Ne m'en parlez point : c'est un admirable lieu que Paris ; il s'y passe cent choses tous les jours qu'on ignore dans les provinces, quelque spirituelle qu'on puisse être.

CATHOS. — C'est assez : puisque nous sommes instruites, nous ferons notre devoir de nous écrier comme il faut sur tout ce qu'on dira.

MASCARILLE. — Je ne sais si je me trompe, mais vous avez toute la mine d'avoir fait quelque comédie.

MAGDELON. — Eh ! il pourrait être quelque chose de ce que vous dites.

MASCARILLE. — Ah ! ma foi, il faudra que nous la voyions. Entre nous, j'en ai composé une que je veux faire représenter.

CATHOS. — Hé, à quels comédiens la donnerez-vous ?

MASCARILLE. — Belle demande ! Aux grands comédiens. Il n'y a qu'eux qui soient capables de faire valoir les choses ; les autres sont des ignorants qui récitent comme l'on parle ; ils ne savent pas faire ronfler les vers, et s'arrêter au bel endroit : et le moyen de connaître où est le beau vers, si le comédien ne s'y arrête, et ne vous avertit par là qu'il faut faire le brouhaha ?

CATHOS. — En effet, il y a manière de faire sentir aux auditeurs les beautés d'un ouvrage ; et les choses ne valent que ce qu'on les fait valoir.

MASCARILLE. — Que vous semble de ma petite-oie ? La trouvez-vous congruante à l'habit ?

CATHOS. — Tout à fait.

MASCARILLE. — Le ruban est bien choisi.

MAGDELON. — Furieusement bien. C'est Perdrigeon tout pur.

MASCARILLE. — Que dites-vous de mes canons ?

MAGDELON. — Ils ont tout à fait bon air.

MASCARILLE. — Je puis me vanter au moins qu'ils ont un grand quartier plus que tous ceux qu'on fait.

MAGDELON. — Il faut avouer que je n'ai jamais vu porter si haut l'élégance de l'ajustement.

MASCARILLE. — Attachez un peu sur ces gants la réflexion de votre odorat.

MAGDELON. — Ils sentent terriblement bon.

CATHOS. — Je n'ai jamais respiré une odeur mieux conditionnée.

MASCARILLE. — Et celle-là ?

MAGDELON. — Elle est tout à fait de qualité ; le sublime en est touché délicieusement.

MASCARILLE. — Vous ne me dites rien de mes plumes : comment les trouvez-vous ?

CATHOS. — Effroyablement belles.

MASCARILLE. — Savez-vous que le brin me coûte un louis d'or ? Pour moi, j'ai cette manie de vouloir donner généralement sur tout ce qu'il y a de plus beau.

MAGDELON. — Je vous assure que nous sympathisons vous et moi : j'ai une délicatesse furieuse pour tout ce que je porte ; et jusqu'à mes chaussettes, je ne puis rien souffrir qui ne soit de la bonne ouvrière.

MASCARILLE, *s'écriant brusquement* .— Ahi, ahi, ahi, doucement ! Dieu me damne, Mesdames, c'est fort mal en user ; j'ai à me plaindre de votre procédé ; cela n'est pas honnête.

CATHOS. — Qu'est-ce donc ? qu'avez-vous ?

MASCARILLE. — Quoi ? toutes deux contre mon cœur, en même temps ! m'attaquer à droite et à gauche ! Ah ! c'est contre le droit des gens ; la partie n'est pas égale ; et je m'en vais crier au meurtre.

CATHOS. — Il faut avouer qu'il dit les choses d'une manière particulière.

MAGDELON. — Il a un tour admirable dans l'esprit.

CATHOS. — Vous avez plus de peur que de mal, et votre cœur crie avant qu'on l'écorche.

MASCARILLE. — Comment diable ! il est écorché depuis la tête jusqu'aux pieds.

SCÈNE X

MAROTTE, MASCARILLE, CATHOS, MAGDELON

MAROTTE. — Madame, on demande à vous voir.

MAGDELON. — Qui ?

MAROTTE. — Le vicomte de Jodelet.

MASCARILLE. — Le vicomte de Jodelet ?

MAROTTE. — Oui, Monsieur.

CATHOS. — Le connaissez-vous ?

MASCARILLE. — C'est mon meilleur ami.

MAGDELON. — Faites entrer vitement.

MASCARILLE. — Il y a quelque temps que nous ne nous sommes vus, et je suis ravi de cette aventure.

CATHOS. — Le voici.

SCÈNE XI

JODELET, MASCARILLE, CATHOS, MAGDELON, MAROTTE

MASCARILLE. — Ah ! vicomte !

JODELET, *s'embrassant l'un l'autre* .— Ah ! marquis !

MASCARILLE. — Que je suis aise de te rencontrer !

JODELET. — Que j'ai de joie de te voir ici !

MASCARILLE. — Baise-moi donc encore un peu, je te prie.

MAGDELON. — Ma toute bonne, nous commençons d'être connues ; voilà le beau monde qui prend le chemin de nous venir voir.

MASCARILLE. — Mesdames, agréez que je vous présente ce gentilhomme-ci : sur ma parole, il est digne d'être connu de vous.

JODELET. — Il est juste de venir vous rendre ce qu'on vous doit ; et vos attraits exigent leurs droits seigneuriaux sur toutes sortes de personnes.

MAGDELON. — C'est pousser vos civilités jusqu'aux derniers confins de la flatterie.

CATHOS. — Cette journée doit être marquée dans notre almanach comme une journée bienheureuse.

MAGDELON. — Allons, petit garçon, faut-il toujours vous répéter les choses ? Voyez-vous pas qu'il faut le surcroît d'un fauteuil ?

MASCARILLE. — Ne vous étonnez pas de voir le Vicomte de la sorte ; il ne fait que sortir d'une maladie qui lui a rendu le visage pâle comme vous le voyez.

JODELET. — Ce sont fruits des veilles de la cour et des fatigues de la guerre.

MASCARILLE. — Savez-vous, Mesdames, que vous voyez dans le Vicomte un de plus vaillants hommes du siècle ? C'est un brave à trois poils.

JODELET. — Vous ne m'en devez rien, Marquis ; et nous savons ce que vous savez faire aussi.

MASCARILLE. — Il est vrai que nous nous sommes vus tous deux dans l'occasion.

JODELET. — Et dans des lieux où il faisait fort chaud.

MASCARILLE, *les regardant toutes deux* .— Oui ; mais non pas si chaud qu'ici. Hai, hai, hai !

JODELET. — Notre connaissance s'est faite à l'armée ; et la première fois que nous nous vîmes, il commandait un régiment de cavalerie sur les galères de Malte.

MASCARILLE. — Il est vrai ; mais vous étiez pourtant dans l'emploi avant que j'y fusse ; et je me souviens que je n'étais que petit officier encore, que vous commandiez deux mille chevaux.

JODELET. — La guerre est une belle chose ; mais, ma foi, la cour récompense bien mal aujourd'hui les gens de service comme nous.

MASCARILLE. — C'est ce qui fait que je veux pendre l'épée au croc.

CATHOS. — Pour moi, j'ai un furieux tendre pour les hommes d'épée.

MAGDELON. — Je les aime aussi ; mais je veux que l'esprit assaisonne la bravoure.

MASCARILLE. — Te souvient-il, Vicomte, de cette demi-lune que nous emportâmes sur les ennemis au siège d'Arras ?

JODELET. — Que veux-tu dire avec ta demi-lune ? C'était bien une lune tout entière.

MASCARILLE. — Je pense que tu as raison.

JODELET. — Il m'en doit bien souvenir, ma foi : j'y fus blessé à la jambe d'un coup de grenade, dont je porte encore les marques. Tâtez un peu, de grâce, vous sentirez quelque coup, c'était là.

CATHOS. — Il est vrai que la cicatrice est grande.

MASCARILLE. — Donnez-moi un peu votre main, et tâtez celui-ci, là, justement au derrière de la tête : y êtes-vous ?

MAGDELON. — Oui : je sens quelque chose.

MASCARILLE. — C'est un coup de mousquet que je reçus la dernière campagne que j'ai faite.

JODELET. — Voici un autre coup qui me perça de part en part à l'attaque de Gravelines.

MASCARILLE, *mettant la main sur le bouton de son haut-de-chausses* .— Je vais vous montrer une furieuse plaie.

MAGDELON. — Il n'est pas nécessaire : nous le croyons sans y regarder.

MASCARILLE. — Ce sont des marques honorables qui font voir ce qu'on est.

CATHOS. — Nous ne doutons point de ce que vous êtes.

MASCARILLE. — Vicomte, as-tu là ton carrosse ?

JODELET. — Pourquoi ?

MASCARILLE. — Nous mènerions promener ces Dames hors des portes, et leur donnerions un cadeau.

MAGDELON. — Nous ne saurions sortir aujourd'hui.

MASCARILLE. — Ayons donc les violons pour danser.

JODELET. — Ma foi, c'est bien avisé.

MAGDELON. — Pour cela, nous y consentons ; mais il faut donc quelque surcroît de compagnie.

MASCARILLE. — Holà ! Champagne, Picard, Bourguignon, Casquaret, Basque, la Verdure, Lorrain, Provençal, la Violette ! Au diable soient tous les laquais ! Je ne pense pas qu'il y ait gentilhomme en France plus mal servi que moi. Ces canailles me laissent toujours seul.

MAGDELON. — Almanzor, dites aux gens de Monsieur qu'ils aillent quérir des violons, et nous faites venir ces Messieurs et ces Dames d'ici près, pour peupler la solitude de notre bal.

MASCARILLE. — Vicomte, que dis-tu de ces yeux ?

JODELET. — Mais toi-même, Marquis, que t'en semble ?

MASCARILLE. — Moi, je dis que nos libertés auront peine à sortir d'ici les braies nettes. Au moins, pour moi, je reçois d'étranges secousses, et mon cœur ne tient plus qu'à un filet.

MAGDELON. — Que tout ce qu'il dit est naturel ! Il tourne les choses le plus agréablement du monde.

CATHOS. — Il est vrai qu'il fait une furieuse dépense en esprit.

MASCARILLE. — Pour vous montrer que je suis véritable, je veux faire un impromptu là-dessus.

CATHOS. — Eh ! je vous en conjure de toute la dévotion de mon cœur : que nous ayons quelque chose qu'on ait fait pour nous.

JODELET. — J'aurais envie d'en faire autant ; mais je me trouve un peu incommodé de la veine poétique, pour la quantité des saignées que j'y ai faites ces jours passés.

MASCARILLE. — Que diable est cela ? Je fais toujours bien le premier vers ; mais j'ai peine à faire les autres. Ma foi, ceci est un peu trop pressé : je vous ferai un impromptu à loisir, que vous trouverez le plus beau du monde.

JODELET. — Il a de l'esprit comme un démon.

MAGDELON. — Et du galant, et du bien tourné.

MASCARILLE. — Vicomte, dis-moi un peu, y a-t-il longtemps que tu n'as vu la Comtesse ?

JODELET. — Il y a plus de trois semaines que je ne lui ai rendu visite.

MASCARILLE. — Sais-tu bien que le Duc m'est venu voir ce matin, et m'a voulu mener à la campagne courir un cerf avec lui ?

MAGDELON. — Voici nos amies qui viennent.

SCÈNE XII

JODELET, MASCARILLE, CATHOS, MAGDELON, MAROTTE, LUCILE

MAGDELON. — Mon Dieu, mes chères, nous vous demandons pardon. Ces Messieurs ont eu fantaisie de nous donner les âmes des pieds ; et nous vous avons envoyé quérir pour remplir les vides de notre assemblée.

LUCILE. — Vous nous avez obligées, sans doute.

MASCARILLE. — Ce n'est ici qu'un bal à la hâte ; mais l'un de ces jours nous vous en donnerons un dans les formes. Les violons sont-ils venus ?

ALMANZOR. — Oui, Monsieur ; ils sont ici.

CATHOS. — Allons donc, mes chères, prenez place.

MASCARILLE, *dansant lui seul comme par prélude* .— La, la, la, la, la, la, la, la.

MAGDELON. — Il a tout à fait la taille élégante.

CATHOS. — Et a la mine de danser proprement.

MASCARILLE, *ayant pris Magdelon* .— Ma franchise va danser la courante aussi bien que mes pieds. En cadence, violons, en cadence. Oh ! quels ignorants ! Il n'y a pas moyen de danser avec eux. Le diable vous emporte ! ne sauriez-vous jouer en mesure ? La, la, la, la, la, la, la, la. Ferme, ô violons de village.

JODELET, *dansant ensuite* .— Holà ! ne pressez pas si fort la cadence : je ne fais que sortir de maladie.

SCÈNE XIII

DU CROISY, LA GRANGE, MASCARILLE

LA GRANGE. — Ah ! ah ! coquins, que faites-vous ici ? Il y a trois heures que nous vous cherchons.

MASCARILLE, *se sentant battre* .— Ahy ! ahy ! ahy ! vous ne m'aviez pas dit que les coups en seraient aussi.

JODELET. — Ahy ! ahy ! ahy !

LA GRANGE. — C'est bien à vous, infâme que vous êtes, à vouloir faire l'homme d'importance.

DU CROISY. — Voilà qui vous apprendra à vous connaître.

Ils sortent.

SCÈNE XIV

MASCARILLE, JODELET, CATHOS, MAGDELON

MAGDELON. — Que veut donc dire ceci ?

JODELET. — C'est une gageure.

CATHOS. — Quoi ! vous laisser battre de la sorte !

MASCARILLE. — Mon Dieu, je n'ai pas voulu faire semblant de rien ; car je suis violent, et je me serais emporté.

MAGDELON. — Endurer un affront comme celui-là, en notre présence !

MASCARILLE. — Ce n'est rien : ne laissons pas d'achever. Nous nous connaissons il y a longtemps ; et entre amis, on ne va pas se piquer pour si peu de chose.

SCÈNE XV

DU CROISY, LA GRANGE, MASCARILLE, JODELET, MAGDELON, CATHOS

LA GRANGE. — Ma foi, marauds, vous ne vous rirez pas de nous, je vous promets. Entrez, vous autres.

MAGDELON. — Quelle est donc cette audace, de venir nous troubler de la sorte dans notre maison ?

DU CROISY. — Comment, Mesdames, nous endurerons que nos laquais soient mieux reçus que nous ? qu'ils viennent vous faire l'amour à nos dépens, et vous donnent le bal ?

MAGDELON. — Vos laquais ?

LA GRANGE. — Oui, nos laquais : et cela n'est ni beau ni honnête de nous les débaucher comme vous faites.

MAGDELON. — O Ciel ! quelle insolence !

LA GRANGE. — Mais ils n'auront pas l'avantage de se servir de nos habits pour vous donner dans la vue ; et si vous les voulez aimer, ce sera, ma foi, pour leurs beaux yeux. Vite, qu'on les dépouille sur-le-champ.

JODELET. — Adieu notre braverie.

MASCARILLE. — Voilà le marquisat et la vicomté à bas.

DU CROISY. — Ha ! ha ! coquins, vous avez l'audace d'aller sur nos brisées ! Vous irez chercher autre part de quoi vous rendre agréables aux yeux de vos belles, je vous en assure.

LA GRANGE. — C'est trop que de nous supplanter, et de nous supplanter avec nos propres habits.

MASCARILLE. — O Fortune, quelle est ton inconstance.

DU CROISY. — Vite, qu'on leur ôte jusqu'à la moindre chose.

LA GRANGE. — Qu'on emporte toutes ces hardes, dépêchez. Maintenant, Mesdames, en l'état qu'ils sont, vous pouvez continuer vos amours avec eux tant qu'il vous plaira ; nous vous laissons toute sorte de liberté pour cela, et nous vous protestons, Monsieur et moi, que nous n'en serons aucunement jaloux.

CATHOS. — Ah ! quelle confusion !

MAGDELON. — Je crève de dépit.

VIOLONS, *au Marquis* .— Qu'est-ce donc que ceci ? Qui nous payera, nous autres ?

MASCARILLE. — Demandez à Monsieur le Vicomte.

VIOLONS, *au Vicomte* .— Qui est-ce qui nous donnera de l'argent ?

JODELET. — Demandez à Monsieur le Marquis.

SCÈNE XVI

GORGIBUS, MASCARILLE, MAGDELON

GORGIBUS. — Ah ! coquines que vous êtes, vous nous mettez dans de beaux draps blancs, à ce que je vois ! et je viens d'apprendre de belles affaires, vraiment, de ces Messieurs qui sortent !

MAGDELON. — Ah ! mon père, c'est une pièce sanglante qu'ils nous ont faite.

GORGIBUS. — Oui, c'est une pièce sanglante, mais qui est un effet de votre impertinence, infâmes ! Ils se sont ressentis du traitement que vous leur avez fait ; et cependant, malheureux que je suis, il faut que je boive l'affront.

MAGDELON. — Ah ! je jure que nous en serons vengés, ou que je mourrai en la peine. Et vous, marauds, osez-vous vous tenir ici après votre insolence ?

MASCARILLE. — Traiter comme cela un marquis ! Voilà ce que c'est que du monde ! la moindre disgrâce nous fait mépriser de ceux qui nous chérissaient. Allons, camarade, allons chercher fortune autre part : je vois bien qu'on n'aime ici que la vaine apparence, et qu'on n'y considère point la vertu toute nue.

Ils sortent tous deux.

SCÈNE XVII

GORGIBUS, MAGDELON, CATHOS, VIOLONS

VIOLONS. — Monsieur, nous entendons que vous nous contentiez à leur défaut pour ce que nous avons joué ici.

GORGIBUS, *les battant* .— Oui, oui, je vous vais contenter, et voici la monnaie dont je vous veux payer. Et vous, pendardes, je ne sais qui me tient que je ne vous en fasse autant. Nous allons servir de fable et de risée à tout le monde, et voilà ce que vous vous êtes attiré par vos extravagances. Allez vous cacher, vilaines ; allez vous cacher pour jamais. Et vous, qui êtes cause de leur folie, sottes billevesées, pernicieux amusements des esprits oisifs, romans, vers, chansons, sonnets et sonnettes, puissiez-vous être à tous les diables !

PRÉSENTATION DES *FEMMES SAVANTES*

En 1672, avec *Les Femmes savantes*, Molière renoue avec un thème qu'il a déjà brillamment illustré dans ses *Précieuses ridicules* (1659), savoir : l'aspiration des femmes à participer aux débats intellectuels. Entendons-nous ! Molière ne critique point les femmes véritablement instruites, solidement lettrées (son siècle compta de remarquables femmes écrivains, et qu'il nous suffise de mentionner, ici, Mme de Sévigné, Mme de La Fayette et Mlle de Scudéry !) mais, profitant de la nouvelle mode des femmes *savantes*, résurgence de celle (dix ans plus tôt) des femmes *précieuses*, il souhaite peindre ce travers social, à nouveau, et, comme toujours, « d'après nature ».

À treize ans de distance, une évolution s'est produite entre les deux pièces : les précieuses, de 1659, étaient encore des « pecques provinciales », romanesques, férues de belles lettres et de beau langage ; en 1672, les précieuses deviennent *savantes*. La pecque se mue en grande bourgeoise parisienne qui ne cause plus que « science », « métaphysique » et « philosophie ». Évolution, aussi, sur le plan formel. De la pièce de 1659, farcesque et en un seul acte, dominée par le truculent tandem des valets, Mascarille et Jodelet, nous passons maintenant à la grande comédie de caractère, en cinq actes, versifiée, où le comique — nombre de critiques l'ont ici sous-estimé —, s'il gagne en finesse, n'en demeure pas moins très présent (voir l'irrésistible scène où les pédants puits de science, Vadius et Trissotin, passent insensiblement des plus onctueux compliments réciproques aux injures les plus débridées, et presque aux coups...).

Molière nous introduit dans une famille parisienne, celle du « bon bourgeois » Chrysale, faible, pusillanime, et complètement dominé par la gent féminine de sa maison. Sa sœur, Bélise, est une vieille fille, une précieuse attardée car, tout en hissant vigoureusement le nouveau drapeau de la *science*, elle cultive toujours, sentimentale, le vieux genre romanesque. La femme de Chrysale, Philaminte, est une redoutable pédante qui régente tous les siens du haut de ses prétentions « scientifiques ». Armande, la fille aînée, ne peut comprendre, quant à elle, comment il serait possible de penser, un seul instant, au « vulgaire » mariage quand on peut s'adonner aux joies extatiques de la *philosophie*. Seule Henriette, la cadette (certainement la « fille spirituelle » de Molière), échappe à l'étrange épidémie, aspire à épouser le jeune Clitandre, et affirme haut et fort la noblesse imprescriptible de l'état marital. Les deux jeunes gens cherchent secours auprès du sage oncle Ariste et de Chrysale, qui n'en peuvent mais... Car la terrible Philaminte, le dragon de la *science*, entend bien donner Henriette en mariage au pédantissime Trissotin !

Comme toujours, en fin moraliste, Molière tend à la société un miroir sans complaisance où elle peut prendre conscience de ses travers. Il raille ici les pédantes (et les pédants !) du Grand Siècle ; mais, à travers les personnages particuliers, propres à son épouse, apparaît toujours à nu une vérité humaine profonde, en laquelle nous nous reconnaissons tous, tant que nous sommes, quels que soient le lieu et l'époque auxquels nous appartenons. Comme les harpagons et les tartuffes, les Philaminte et les Trissotin sont de tous les temps. Telle est la leçon toujours vivante du théâtre de Molière.

Parmi les sources, très parcellaires, de la pièce, mentionnons un ouvrage de Calderón, *On ne badine pas avec l'amour*, de 1637 (Musset en reprendra le titre) ; *La Comédie des académistes* (1644), de Saint-Évremond ; enfin *L'Académie des femmes* (1661), de Chappuzeau. Mais les deux pédants sont certainement les féroces caricatures de deux ennemis bien réels de Molière : le savant et mondain abbé Cotin (Trissotin) et le célèbre Ménage (Vadius), grand précieux s'il en fut...

Louis XIV applaudit joyeusement *Les Femmes savantes*, à Saint-Cloud ; et la comédie, créée au Palais-Royal le 11 mars 1672, par la Troupe du Roi, y resta à l'affiche toute l'année, remportant le plus vif succès.

LES FEMMES SAVANTES

COMÉDIE

REPRÉSENTÉE POUR LA PREMIÈRE FOIS
À PARIS
SUR LE THÉÂTRE DE LA SALLE DU PALAIS-ROYAL
LE 11 MARS 1672
PAR LA

TROUPE DU ROI

PERSONNAGES

CHRYSALE, bon bourgeois.
PHILAMINTE, femme de Chrysale.
ARMANDE, HENRIETTE, filles de Chrysale et de Philaminte.
ARISTE, frère de Chrysale.
BÉLISE, sœur de Chrysale.
CLITANDRE, amant d'Henriette.
TRISSOTIN, bel esprit.
VADIUS, savant.
MARTINE, servante de cuisine.
L'ÉPINE, laquais.
JULIEN, valet de Vadius.
LE NOTAIRE.

La scène est à Paris.

ACTE PREMIER

SCÈNE I

ARMANDE, HENRIETTE

ARMANDE

Quoi ? le beau nom de fille est un titre, ma sœur,
Dont vous voulez quitter la charmante douceur,
Et de vous marier vous osez faire fête ?
Ce vulgaire dessein vous peut monter en tête ?

HENRIETTE

Oui, ma sœur. 5

ARMANDE

Ah ! ce « oui » se peut-il supporter,
Et sans un mal de cœur saurait-on l'écouter ?

HENRIETTE

Qu'a donc le mariage en soi qui vous oblige,
Ma sœur... ?

ARMANDE

Ah, mon Dieu ! fi !

HENRIETTE

Comment ?

ARMANDE

Ah, fi ! vous dis-je.
Ne concevez-vous point ce que, dès qu'on l'entend,
Un tel mot à l'esprit offre de dégoûtant ? 10
De quelle étrange image on est par lui blessée ?
Sur quelle sale vue il traîne la pensée ?
N'en frissonnez-vous point ? et pouvez-vous, ma sœur,
Aux suites de ce mot résoudre votre cœur ?

HENRIETTE

Les suites de ce mot, quand je les envisage, 15
Me font voir un mari, des enfants, un ménage ;
Et je ne vois rien là, si j'en puis raisonner,
Qui blesse la pensée et fasse frissonner.

ARMANDE

De tels attachements, ô Ciel ! sont pour vous plaire ?

HENRIETTE

Et qu'est-ce qu'à mon âge on a de mieux à faire 20
Que d'attacher à soi, par le titre d'époux,
Un homme qui vous aime et soit aimé de vous,
Et de cette union, de tendresse suivie,
Se faire les douceurs d'une innocente vie ?
Ce nœud, bien assorti, n'a-t-il pas des appas ? 25

ARMANDE

Mon Dieu, que votre esprit est d'un étage bas !
Que vous jouez au monde un petit personnage,
De vous claquemurer aux choses du ménage,
Et de n'entrevoir point de plaisirs plus touchants
Qu'un idole d'époux et des marmots d'enfants ! 30
Laissez aux gens grossiers, aux personnes vulgaires,
Les bas amusements de ces sortes d'affaires ;

A de plus hauts objets élevez vos désirs,
Songez à prendre un goût des plus nobles plaisirs,
Et traitant de mépris les sens et la matière, 35
A l'esprit, comme nous, donnez-vous tout entière.
Vous avez notre mère en exemple à vos yeux,
Que du nom de savante on honore en tous lieux :
Tâchez ainsi que moi de vous montrer sa fille,
Aspirez aux clartés qui sont dans la famille, 40
Et vous rendez sensible aux charmantes douceurs
Que l'amour de l'étude épanche dans les cœurs ;
Loin d'être aux lois d'un homme en esclave asservie,
Mariez-vous, ma sœur, à la philosophie,
Qui nous monte au-dessus de tout le genre humain, 45
Et donne à la raison l'empire souverain,
Soumettant à ses lois la partie animale,
Dont l'appétit grossier aux bêtes nous ravale.
Ce sont là les beaux feux, les doux attachements,
Qui doivent de la vie occuper les moments ; 50
Et les soins où je vois tant de femmes sensibles
Me paraissent aux yeux des pauvretés horribles.

HENRIETTE

Le Ciel, dont nous voyons que l'ordre est tout-puissant,
Pour différents emplois nous fabrique en naissant ;
Et tout esprit n'est pas composé d'une étoffe 55
Qui se trouve taillée à faire un philosophe.
Si le vôtre est né propre aux élévations
Où montent des savants les spéculations,
Le mien est fait, ma sœur, pour aller terre à terre,
Et dans les petits soins son faible se resserre. 60
Ne troublons point du ciel les justes règlements,
Et de nos deux instincts suivons les mouvements ;
Habitez, par l'essor d'un grand et beau génie,
Les hautes régions de la philosophie,
Tandis que mon esprit, se tenant ici-bas, 65
Goûtera de l'hymen les terrestres appas.
Ainsi, dans nos desseins l'une à l'autre contraire,

Nous saurons toutes deux imiter notre mère :
Vous, du côté de l'âme et des nobles désirs,
Moi, du côté des sens et des grossiers plaisirs ; 70
Vous, aux productions d'esprit et de lumière,
Moi, dans celles, ma sœur, qui sont de la matière.

ARMANDE

Quand sur une personne on prétend se régler,
C'est par les beaux côtés qu'il lui faut ressembler ;
Et ce n'est point du tout la prendre pour modèle, 75
Ma sœur, que de tousser et de cracher comme elle.

HENRIETTE

Mais vous ne seriez pas ce dont vous vous vantez,
Si ma mère n'eût eu que de ces beaux côtés ;
Et bien vous prend, ma sœur, que son noble génie
N'ait pas vaqué toujours à la philosophie. 80
De grâce, souffrez-moi, par un peu de bonté,
Des bassesses à qui vous devez la clarté ;
Et ne supprimez point, voulant qu'on vous seconde,
Quelque petit savant qui veut venir au monde.

ARMANDE

Je vois que votre esprit ne peut être guéri 85
Du fol entêtement de vous faire un mari ;
Mais sachons, s'il vous plaît, qui vous songez à prendre ;
Votre visée au moins n'est pas mise à Clitandre ?

HENRIETTE

Et par quelle raison n'y serait-elle pas ? 90
Manque-t-il de mérite ? est-ce un choix qui soit bas ?

ARMANDE

Non ; mais c'est un dessein qui serait malhonnête,
Que de vouloir d'un autre enlever la conquête ;

Et ce n'est pas un fait dans le monde ignoré
Que Clitandre ait pour moi hautement soupiré. 95

HENRIETTE

Oui ; mais tous ces soupirs chez vous sont choses
[vaines,
Et vous ne tombez point aux bassesses humaines ;
Votre esprit à l'hymen renonce pour toujours,
Et la philosophie a toutes vos amours : 100
Ainsi, n'ayant au cœur nul dessein pour Clitandre,
Que vous importe-t-il qu'on y puisse prétendre ?

ARMANDE

Cet empire que tient la raison sur les sens
Ne fait pas renoncer aux douceurs des encens,
Et l'on peut pour époux refuser un mérite 105
Que pour adorateur on veut bien à sa suite.

HENRIETTE

Je n'ai pas empêché qu'à vos perfections
Il n'ait continué ses adorations ;
Et je n'ai fait que prendre, au refus de votre âme,
Ce qu'est venu m'offrir l'hommage de sa flamme. 110

ARMANDE

Mais à l'offre des vœux d'un amant dépité
Trouvez-vous, je vous prie, entière sûreté ?
Croyez-vous pour vos yeux sa passion bien forte,
Et qu'en son cœur pour moi toute flamme soit morte ?

HENRIETTE

Il me le dit, ma sœur, et, pour moi, je le crois. 115

ARMANDE

Ne soyez pas, ma sœur, d'une si bonne foi,
Et croyez, quand il dit qu'il me quitte et vous aime,

Qu'il n'y songe pas bien et se trompe lui-même.

HENRIETTE

Je ne sais ; mais enfin, si c'est votre plaisir,
Il nous est bien aisé de nous en éclaircir : 120
Je l'aperçois qui vient, et sur cette matière
Il pourra nous donner une pleine lumière.

SCÈNE II

CLITANDRE, ARMANDE, HENRIETTE

HENRIETTE

Pour me tirer d'un doute où me jette ma sœur,
Entre elle et moi, Clitandre, expliquez votre cœur ;
Découvrez-en le fond, et nous daignez apprendre 125
Qui de nous à vos vœux est en droit de prétendre.

ARMANDE

Non, non : je ne veux point à votre passion
Imposer la rigueur d'une explication ;
Je ménage les gens, et sais comme embarrasse
Le contraignant effort de ces aveux en face. 130

CLITANDRE

Non, Madame, mon cœur, qui dissimule peu,
Ne sent nulle contrainte à faire un libre aveu ;
Dans aucun embarras un tel pas ne me jette,
Et j'avouerai tout haut, d'une âme franche et nette,
Que les tendres liens où je suis arrêté, 135
Mon amour et mes vœux sont tout de ce côté.
Qu'à nulle émotion cet aveu ne vous porte :
Vous avez bien voulu les choses de la sorte.
Vos attraits m'avaient pris, et mes tendres soupirs
Vous ont assez prouvé l'ardeur de mes désirs ; 140

Mon cœur vous consacrait une flamme immortelle ;
Mais vos yeux n'ont pas cru leur conquête assez belle.
J'ai souffert sous leur joug cent mépris différents,
Ils régnaient sur mon âme en superbes tyrans,
Et je me suis cherché, lassé de tant de peines, 145
Des vainqueurs plus humains et de moins rudes
[chaînes :
Je les ai rencontrés, Madame, dans ces yeux,
Et leurs traits à jamais me seront précieux ;
D'un regard pitoyable ils ont séché mes larmes, 150
Et n'ont pas dédaigné le rebut de vos charmes ;
De si rares bontés m'ont si bien su toucher
Qu'il n'est rien qui me puisse à mes fers arracher ;
Et j'ose maintenant vous conjurer, Madame,
De ne vouloir tenter nul effort sur ma flamme, 155
De ne point essayer à rappeler un cœur
Résolu de mourir dans cette douce ardeur.

ARMANDE

Eh ! qui vous dit, Monsieur, que l'on ait cette envie,
Et que de vous enfin si fort on se soucie ?
Je vous trouve plaisant de vous le figurer, 160
Et bien impertinent de me le déclarer.

HENRIETTE

Eh ! doucement, ma sœur. Où donc est la morale
Qui sait si bien régir la partie animale,
Et retenir la bride aux efforts du courroux ?

ARMANDE

Mais vous qui m'en parlez, où la pratiquez-vous, 165
De répondre à l'amour que l'on vous fait paraître
Sans le congé de ceux qui vous ont donné l'être ?
Sachez que le devoir vous soumet à leurs lois,
Qu'il ne vous est permis d'aimer que par leur choix.
Qu'ils ont sur votre cœur l'autorité suprême, 170
Et qu'il est criminel d'en disposer vous-même.

HENRIETTE

Je rends grâce aux bontés que vous me faites voir
De m'enseigner si bien les choses du devoir ;
Mon cœur sur vos leçons veut régler sa conduite ;
Et pour vous faire voir, ma sœur, que j'en profite, 175
Clitandre, prenez soin d'appuyer votre amour
De l'agrément de ceux dont j'ai reçu le jour ;
Faites-vous sur mes vœux un pouvoir légitime,
Et me donnez moyen de vous aimer sans crime.

CLITANDRE

J'y vais de tous mes soins travailler hautement, 180
Et j'attendais de vous ce doux consentement.

ARMANDE

Vous triomphez, ma sœur, et faites une mine
A vous imaginer que cela me chagrine.

HENRIETTE

Moi, ma sœur, point du tout : je sais que sur vos sens
Les droits de la raison sont toujours tout-puissants ; 185
Et que par les leçons qu'on prend dans la sagesse,
Vous êtes au-dessus d'une telle faiblesse.
Loin de vous soupçonner d'aucun chagrin, je crois
Qu'ici vous daignerez vous employer pour moi,
Appuyez sa demande, et de votre suffrage 190
Presser l'heureux moment de notre mariage.
Je vous en sollicite ; et pour y travailler...

ARMANDE

Votre petit esprit se mêle de railler,
Et d'un cœur qu'on vous jette on vous voit toute fière.

HENRIETTE

Tout jeté qu'est ce cœur, il ne vous déplaît guère ; 195
Et si vos yeux sur moi le pouvaient ramasser,

Ils prendraient aisément le soin de se baisser.

ARMANDE

A répondre à cela je ne daigne descendre,
Et ce sont sots discours qu'il ne faut pas entendre.

HENRIETTE

C'est fort bien fait à vous, et vous nous faites voir 200
Des modérations qu'on ne peut concevoir.

SCÈNE III

CLITANDRE, HENRIETTE

HENRIETTE

Votre sincère aveu ne l'a pas peu surprise.

CLITANDRE

Elle mérite assez une telle franchise,
Et toutes les hauteurs de sa folle fierté
Sont dignes tout au moins de ma sincérité. 205
Mais puisqu'il m'est permis, je vais à votre père,
Madame...

HENRIETTE

Le plus sûr est de gagner ma mère :
Mon père est d'une humeur à consentir à tout,
Mais il met peu de poids aux choses qu'il résout ;
Il a reçu du Ciel certaine bonté d'âme, 210
Qui le soumet d'abord à ce que veut sa femme ;
C'est elle qui gouverne, et d'un ton absolu
Elle dicte pour loi ce qu'elle a résolu.
Je voudrais bien vous voir pour elle, et pour ma tante,
Une âme, je l'avoue, un peu plus complaisante, 215
Un esprit qui, flattant les visions du leur,

Vous pût de leur estime attirer la chaleur.

CLITANDRE

Mon cœur n'a jamais pu, tant il est né sincère,
Même dans votre sœur flatter leur caractère,
Et les femmes docteurs ne sont point de mon goût. 220
Je consens qu'une femme ait des clartés de tout ;
Mais je ne lui veux point la passion choquante
De se rendre savante afin d'être savante ;
Et j'aime que souvent, aux questions qu'on fait,
Elle sache ignorer les choses qu'elle sait ; 225
De son étude enfin je veux qu'elle se cache,
Et qu'elle ait du savoir sans vouloir qu'on le sache,
Sans citer les auteurs, sans dire de grands mots,
Et clouer de l'esprit à ses moindres propos.
Je respecte beaucoup Madame votre mère ; 230
Mais je ne puis du tout approuver sa chimère,
Et me rendre l'écho des choses qu'elle dit,
Aux encens qu'elle donne à son héros d'esprit.
Son Monsieur Trissotin me chagrine, m'assomme,
Et j'enrage de voir qu'elle estime un tel homme, 235
Qu'elle nous mette au rang des grands et beaux esprits
Un benêt dont partout on siffle les écrits,
Un pédant dont on voit la plume libérale,
D'officieux papiers fournir toute la halle.

HENRIETTE

Ses écrits, ses discours, tout m'en semble ennuyeux, 240
Et je me trouve assez votre goût et vos yeux ;
Mais, comme sur ma mère il a grande puissance,
Vous devez vous forcer à quelque complaisance.
Un amant fait sa cour où s'attache son cœur,
Il veut de tout le monde y gagner la faveur ; 245
Et, pour n'avoir personne à sa flamme contraire
Jusqu'au chien du logis il s'efforce de plaire.

CLITANDRE

Oui, vous avez raison ; mais Monsieur Trissotin
M'inspire au fond de l'âme un dominant chagrin.

Je ne puis consentir, pour gagner ses suffrages, 250
A me déshonorer en prisant ses ouvrages ;
C'est par eux qu'à mes yeux il a d'abord paru,
Et je le connaissais avant que l'avoir vu.
Je vis, dans le fatras des écrits qu'il nous donne,
Ce qu'étale en tous lieux sa pédante personne : 255
La constante hauteur de sa présomption,
Cette intrépidité de bonne opinion,
Cet indolent état de confiance extrême
Qui le rend en tout temps si content de soi-même,
Qui fait qu'à son mérite incessamment il rit, 260
Qu'il se sait si bon gré de tout ce qu'il écrit,
Et qu'il ne voudrait pas changer sa renommée
Contre tous les honneurs d'un général d'armée.

HENRIETTE

C'est avoir de bons yeux que de voir tout cela.

CLITANDRE

Jusques à sa figure encor la chose alla, 265
Et je vis par les vers qu'à la tête il nous jette
De quel air il fallait que fût fait le poète ;
Et j'en avais si bien deviné tous les traits
Que rencontrant un homme un jour dans le Palais,
Je gageai que c'était Trissotin en personne, 270
Et je vis qu'en effet la gageure était bonne.

HENRIETTE

Quel conte !

CLITANDRE

Non ; je dis la chose comme elle est.
Mais je vois votre tante. Agréez, s'il vous plaît,

Que mon cœur lui déclare ici notre mystère,
Et gagne sa faveur auprès de votre mère. 275

SCÈNE IV

CLITANDRE, BÉLISE

CLITANDRE

Souffrez, pour vous parler, Madame, qu'un amant
Prenne l'occasion de cet heureux moment,
Et se découvre à vous de la sincère flamme...

BÉLISE

Ah ! tout beau, gardez-vous de m'ouvrir trop votre
[âme : 280
Si je vous ai su mettre au rang de mes amants,
Contentez-vous des yeux pour vos seuls truchements,
Et ne m'expliquez point par un autre langage
Des désirs qui chez moi passent pour un outrage ;
Aimez-moi, soupirez, brûlez pour mes appas, 285
Mais qu'il me soit permis de ne le savoir pas :
Je puis fermer les yeux sur vos flammes secrètes,
Tant que vous vous tiendrez aux muets interprètes ;
Mais si la bouche vient à s'en vouloir mêler,
Pour jamais de ma vue il vous faut exiler. 290

CLITANDRE

Des projets de mon cœur ne prenez point d'alarme :
Henriette, Madame, est l'objet qui me charme,
Et je viens ardemment conjurer vos bontés
De seconder l'amour que j'ai pour ses beautés.

BÉLISE

Ah ! certes le détour est d'esprit, je l'avoue : 295
Ce subtil faux-fuyant mérite qu'on le loue,

Et, dans tous les romans où j'ai jeté les yeux,
Je n'ai rien rencontré de plus ingénieux.

CLITANDRE

Ceci n'est point du tout un trait d'esprit, Madame,
Et c'est un pur aveu de ce que j'ai dans l'âme. 300
Les Cieux, par les liens d'une immuable ardeur,
Aux beautés d'Henriette ont attaché mon cœur ;
Henriette me tient sous son aimable empire,
Et l'hymen d'Henriette est le bien où j'aspire :
Vous y pouvez beaucoup, et tout ce que je veux, 305
C'est que vous y daigniez favoriser mes vœux.

BÉLISE

Je vois où doucement veut aller la demande,
Et je sais sous ce nom ce qu'il faut que j'entende ;
La figure est adroite, et, pour n'en point sortir
Aux choses que mon cœur m'offre à vous repartir, 310
Je dirai qu'Henriette à l'hymen est rebelle,
Et que sans rien prétendre il faut brûler pour elle.

CLITANDRE

Eh ! Madame, à quoi bon un pareil embarras,
Et pourquoi voulez-vous penser ce qui n'est pas ?

BÉLISE

Mon Dieu ! point de façons ; cessez de vous défendre 315
De ce que vos regards m'ont souvent fait entendre :
Il suffit que l'on est contente du détour
Dont s'est adroitement avisé votre amour,
Et que, sous la figure où le respect l'engage,
On veut bien se résoudre à souffrir son hommage, 320
Pourvu que ses transports, par l'honneur éclairés,
N'offrent à mes autels que des vœux épurés.

CLITANDRE

Mais...

BÉLISE

Adieu, pour ce coup, ceci doit vous suffire,
Et je vous ai plus dit que je ne voulais dire.

CLITANDRE

Mais votre erreur... 325

BÉLISE

Laissez, je rougis maintenant,
Et ma pudeur s'est fait un effort surprenant.

CLITANDRE

Je veux être pendu si je vous aime, et sage...

BÉLISE

Non, non, je ne veux rien entendre davantage.

CLITANDRE

Diantre soit de la folle avec ses visions !
A-t-on rien vu d'égal à ces préventions ? 330
Allons commettre un autre au soin que l'on me donne,
Et prenons le secours d'une sage personne.

ACTE II

SCÈNE I

ARISTE

Oui, je vous porterai la réponse au plus tôt ;
J'appuierai, presserai, ferai tout ce qu'il faut.
Qu'un amant, pour un mot, a de choses à dire ! 335

Et qu'impatiemment il veut ce qu'il désire !
Jamais...

SCÈNE II

CHRYSALE, ARISTE

ARISTE

Ah ! Dieu vous gard', mon frère !

CHRYSALE

Et vous aussi,
Mon frère.

ARISTE

Savez-vous ce qui m'amène ici ?

CHRYSALE

Non ; mais, si vous voulez, je suis prêt à l'apprendre.

ARISTE

Depuis assez longtemps vous connaissez Clitandre ? 340

CHRYSALE

Sans doute, et je le vois qui fréquente chez nous.

ARISTE

En quelle estime est-il, mon frère, auprès de vous ?

CHRYSALE

D'homme d'honneur, d'esprit, de cœur, et de conduite ;
Et je vois peu de gens qui soient de son mérite.

ARISTE

Certain désir qu'il a conduit ici mes pas, 345

Et je me réjouis que vous en fassiez cas.

CHRYSALE

Je connus feu son père en mon voyage à Rome.

ARISTE

Fort bien.

CHRYSALE

C'était, mon frère, un fort bon gentilhomme.

ARISTE

On le dit.

CHRYSALE

Nous n'avions alors que vingt-huit ans,
Et nous étions, ma foi ! tous deux de verts galants. 350

ARISTE

Je le crois.

CHRYSALE

Nous donnions chez les dames romaines,
Et tout le monde là parlait de nos fredaines :
Nous faisions des jaloux.

ARISTE

Voilà qui va des mieux.
Mais venons au sujet qui m'amène en ces lieux.

SCÈNE III

BÉLISE, CHRYSALE, ARISTE

ARISTE

Clitandre auprès de vous me fait son interprète, 355

Et son cœur est épris des grâces d'Henriette.

CHRYSALE

Quoi, de ma fille ?

ARISTE

Oui, Clitandre en est charmé,
Et je ne vis jamais amant plus enflammé.

BÉLISE

Non, non : je vous entends, vous ignorez l'histoire,
Et l'affaire n'est pas ce que vous pouvez croire. 360

ARISTE

Comment, ma sœur ?

BÉLISE

Clitandre abuse vos esprits,
Et c'est d'un autre objet que son cœur est épris.

ARISTE

Vous raillez. Ce n'est pas Henriette qu'il aime ?

BÉLISE

Non ; j'en suis assurée.

ARISTE

Il me l'a dit lui-même.

BÉLISE

Eh, oui ! 365

ARISTE

Vous me voyez, ma sœur, chargé par lui
D'en faire la demande à son père aujourd'hui.

BÉLISE

Fort bien.

ARISTE

Et son amour même m'a fait instance
De presser les moments d'une telle alliance.

BÉLISE

Encor mieux. On ne peut tromper plus galamment.
Henriette, entre nous, est un amusement, 370
Un voile ingénieux, un prétexte, mon frère,
A couvrir d'autres feux, dont je sais le mystère ;
Et je veux bien tous deux vous mettre hors d'erreur.

ARISTE

Mais, puisque vous savez tant de choses, ma sœur,
Dites-nous, s'il vous plaît, cet autre objet qu'il aime. 375

BÉLISE

Vous le voulez savoir ?

ARISTE

Oui. Quoi ?

BÉLISE

Moi.

ARISTE

Vous ?

BÉLISE

Moi-
même.

ARISTE

Hay, ma sœur !

BÉLISE

Qu'est-ce donc que veut dire ce « hay »,
Et qu'a de surprenant le discours que je fais ?
On est faite d'un air, je pense, à pouvoir dire
Qu'on n'a pas pour un cœur soumis à son empire ; 380
Et Dorante, Damis, Cléonte et Lycidas
Peuvent bien faire voir qu'on a quelques appas.

ARISTE

Ces gens vous aiment ?

BÉLISE

Oui, de toute leur puissance.

ARISTE

Ils vous l'ont dit ?

BÉLISE

Aucun n'a pris cette licence :
Ils m'ont su révérer si fort jusqu'à ce jour 385
Qu'ils ne m'ont jamais dit un mot de leur amour ;
Mais pour m'offrir leur cœur et vouer leur service,
Les muets truchements ont tous fait leur office.

ARISTE

On ne voit presque point céans venir Damis.

BÉLISE

C'est pour me faire voir un respect plus soumis. 390

ARISTE

De mots piquants partout Dorante vous outrage.

BÉLISE

Ce sont emportements d'une jalouse rage.

ARISTE

Cléonte et Lycidas ont pris femme tous deux.

BÉLISE

C'est par un désespoir où j'ai réduit leurs feux.

ARISTE

Ma foi ! ma chère sœur, vision toute claire. 395

CHRYSALE

De ces chimères-là vous devez vous défaire.

BÉLISE

Ah, chimères ! ce sont des chimères, dit-on !
Chimères, moi ! Vraiment chimères est fort bon !
Je me réjouis fort de chimères, mes frères,
Et je ne savais pas que j'eusse des chimères. 400

SCÈNE IV

CHRYSALE, ARISTE

CHRYSALE

Notre sœur est folle, oui.

ARISTE

Cela croît tous les jours.
Mais, encore une fois, reprenons le discours.
Clitandre vous demande Henriette pour femme :
Voyez quelle réponse on doit faire à sa flamme.

CHRYSALE

Faut-il le demander ? J'y consens de bon cœur, 405
Et tiens son alliance à singulier honneur.

ARISTE

Vous savez que de bien il n'a pas l'abondance,
Que...

CHRYSALE

C'est un intérêt qui n'est pas d'importance :
Il est riche en vertu, cela vaut des trésors,
Et puis son père et moi n'étions qu'un en deux corps. 410

ARISTE

Parlons à votre femme, et voyons à la rendre
Favorable...

CHRYSALE

Il suffit : je l'accepte pour gendre.

ARISTE

Oui ; mais pour appuyer votre consentement,
Mon frère, il n'est pas mal d'avoir son agrément ;
Allons... 415

CHRYSALE

Vous moquez-vous ? Il n'est pas nécessaire :
Je réponds de ma femme, et prends sur moi l'affaire.

ARISTE

Mais...

CHRYSALE

Laissez faire, dis-je, et n'appréhendez pas :
Je la vais disposer aux choses de ce pas.

ARISTE

Soit. Je vais là-dessus sonder votre Henriette,

Et reviendrai savoir... 420

CHRYSALE

C'est une affaire faite,
Et je vais à ma femme en parler sans délai.

SCÈNE V

MARTINE, CHRYSALE

MARTINE

Me voilà bien chanceuse ! Hélas ! l'an dit bien vrai :
Qui veut noyer son chien l'accuse de la rage,
Et service d'autrui n'est pas un héritage.

CHRYSALE

Qu'est-ce donc ? Qu'avez-vous, Martine ? 425

MARTINE

Ce que j'ai ?

CHRYSALE

Oui.

MARTINE

J'ai que l'an me donne aujourd'hui mon congé,
Monsieur.

CHRYSALE

Votre congé !

MARTINE

Oui, Madame me chasse.

CHRYSALE

Je n'entends pas cela. Comment ?

MARTINE

On me menace,
Si je ne sors d'ici, de me bailler cent coups.

CHRYSALE

Non, vous demeurerez : je suis content de vous. 430
Ma femme bien souvent a la tête un peu chaude,
Et je ne veux pas, moi...

SCÈNE VI

PHILAMINTE, BÉLISE, CHRYSALE, MARTINE

PHILAMINTE

Quoi ? je vous vois, maraude ?
Vite, sortez, friponne ; allons, quittez ces lieux,
Et ne vous présentez jamais devant mes yeux.

CHRYSALE

Tout doux. 435

PHILAMINTE

Non, c'en est fait.

CHRYSALE

Eh !

PHILAMINTE

Je veux qu'elle sorte.

CHRYSALE

Mais qu'a-t-elle commis, pour vouloir de la sorte...

PHILAMINTE

Quoi ? vous la soutenez ?

CHRYSALE

En aucune façon.

PHILAMINTE

Prenez-vous son parti contre moi ?

CHRYSALE

Mon Dieu ! non :
Je ne fais seulement que demander son crime.

PHILAMINTE

Suis-je pour la chasser sans cause légitime ? 440

CHRYSALE

Je ne dis pas cela ; mais il faut de nos gens...

PHILAMINTE

Non ; elle sortira, vous dis-je, de céans.

CHRYSALE

Hé bien ! oui : vous dit-on quelque chose là contre ?

PHILAMINTE

Je ne veux point d'obstacle aux désirs que je montre.

CHRYSALE

D'accord. 445

PHILAMINTE

Et vous devez, en raisonnable époux,
Être pour moi contre elle, et prendre mon courroux.

CHRYSALE

Aussi fais-je. Oui, ma femme avec raison vous chasse,

Coquine, et votre crime est indigne de grâce.

MARTINE

Qu'est-ce donc que j'ai fait ?

CHRYSALE

Ma foi ! je ne sais pas.

PHILAMINTE

Elle est d'humeur encore à n'en faire aucun cas. 450

CHRYSALE

A-t-elle, pour donner matière à votre haine,
Cassé quelque miroir ou quelque porcelaine ?

PHILAMINTE

Voudrais-je la chasser, et vous figurez-vous
Que pour si peu de chose on se mette en courroux ?

CHRYSALE

Qu'est-ce à dire ? L'affaire est donc considérable ? 455

PHILAMINTE

Sans doute. Me voit-on femme déraisonnable ?

CHRYSALE

Est-ce qu'elle a laissé, d'un esprit négligent,
Dérober quelque aiguière ou quelque plat d'argent ?

PHILAMINTE

Cela ne serait rien.

CHRYSALE

Oh, oh ! peste, la belle !
Quoi ? l'avez-vous surprise à n'être pas fidèle ? 460

PHILAMINTE

C'est pis que tout cela.

CHRYSALE

Pis que tout cela ?

PHILAMINTE

Pis.

CHRYSALE

Comment diantre, friponne ! Euh ? a-t-elle commis...

PHILAMINTE

Elle a, d'une insolence à nulle autre pareille,
Après trente leçons, insulté mon oreille
Par l'impropriété d'un mot sauvage et bas 465
Qu'en termes décisifs condamne Vaugelas.

CHRYSALE

Est-ce là...

PHILAMINTE

Quoi ? toujours, malgré nos remontrances,
Heurter le fondement de toutes les sciences,
La grammaire, qui sait régenter jusqu'aux rois,
Et les fait la main haute obéir à ses lois ? 470

CHRYSALE

Du plus grand des forfaits je la croyais coupable.

PHILAMINTE

Quoi ? Vous ne trouvez pas ce crime impardonnable ?

CHRYSALE

Si fait.

PHILAMINTE

Je voudrais bien que vous l'excusassiez.

CHRYSALE

Je n'ai garde.

BÉLISE

Il est vrai que ce sont des pitiés :
Toute construction est par elle détruite, 475
Et des lois du langage on l'a cent fois instruite.

MARTINE

Tout ce que vous prêchez est, je crois, bel et bon ;
Mais je ne saurais, moi, parler votre jargon.

PHILAMINTE

L'impudente ! appeler un jargon le langage
Fondé sur la raison et sur le bel usage ! 480

MARTINE

Quand on se fait entendre, on parle toujours bien,
Et tous vos biaux dictons ne servent pas de rien.

PHILAMINTE

Hé bien ! ne voilà pas encore de son style ?
Ne servent pas de rien !

BÉLISE

O cervelle indocile !
Faut-il qu'avec les soins qu'on prend incessamment, 485
On ne te puisse apprendre à parler congrûment ?
De *pas* mis avec *rien* tu fais la récidive,
Et c'est, comme on t'a dit, trop d'une négative.

MARTINE

Mon Dieu ! je n'avons pas étugué comme vous,

Et je parlons tout droit comme on parle cheux nous. 490

PHILAMINTE

Ah ! peut-on y tenir ?

BÉLISE

Quel solécisme horrible !

PHILAMINTE

En voilà pour tuer une oreille sensible.

BÉLISE

Ton esprit, je l'avoue, est bien matériel.
Je n'est qu'un singulier, *avons* est pluriel.
Veux-tu toute ta vie offenser la grammaire ? 495

MARTINE

Qui parle d'offenser grand-mère ni grand-père ?

PHILAMINTE

O Ciel !

BÉLISE

Grammaire est prise à contresens par toi,
Et je t'ai dit déjà d'où vient ce mot.

MARTINE

Ma foi !
Qu'il vienne de Chaillot, d'Auteuil, ou de Pontoise,
Cela ne me fait rien. 500

BÉLISE

Quelle âme villageoise !
La grammaire, du verbe et du nominatif,
Comme de l'adjectif avec le substantif,

Nous enseigne les lois.

MARTINE

J'ai, Madame, à vous dire
Que je ne connais point ces gens-là.

PHILAMINTE

Quel martyre !

BÉLISE

Ce sont les noms des mots, et l'on doit regarder 505
En quoi c'est qu'il les faut faire ensemble accorder.

MARTINE

Qu'ils s'accordent entre eux, ou se gourment,
[qu'importe ?

PHILAMINTE, *à sa sœur.*

Eh ! mon Dieu ! finissez un discours de la sorte.
(A son mari.) 510
Vous ne voulez pas, vous, me la faire sortir ?

CHRYSALE

Si fait. A son caprice il me faut consentir.
Va, ne l'irrite point : retire-toi, Martine.

PHILAMINTE

Comment ? vous avez peur d'offenser la coquine ?
Vous lui parlez d'un ton tout à fait obligeant ? 515

CHRYSALE

Moi ? point. Allons, sortez. *(Bas.)* Va-t'en, ma pauvre
[enfant.

SCÈNE VII

PHILAMINTE, CHRYSALE, BÉLISE

CHRYSALE

Vous êtes satisfaite, et la voilà partie ;
Mais je n'approuve point une telle sortie ;

C'est une fille propre aux choses qu'elle fait, 520
Et vous me la chassez pour un maigre sujet.

PHILAMINTE

Vous voulez que toujours je l'aie à mon service
Pour mettre incessamment mon oreille au supplice ?
Pour rompre toute loi d'usage et de raison.
Par un barbare amas de vices d'oraison, 525
De mots estropiés, cousus par intervalles,
De proverbes traînés dans les ruisseaux des Halles ?

BÉLISE

Il est vrai que l'on sue à souffrir ses discours :
Elle y met Vaugelas en pièces tous les jours ;
Et les moindres défauts de ce grossier génie 530
Sont ou le pléonasme, ou la cacophonie.

CHRYSALE

Qu'importe qu'elle manque aux lois de Vaugelas,
Pourvu qu'à la cuisine elle ne manque pas ?
J'aime bien mieux, pour moi, qu'en épluchant ses
[herbes, 535
Elle accommode mal les noms avec les verbes,
Et redise cent fois un bas ou méchant mot,
Que de brûler ma viande, ou saler trop mon pot.
Je vis de bonne soupe, et non de beau langage.
Vaugelas n'apprend point à bien faire un potage ; 540
Et Malherbe et Balzac, si savants en beaux mots,
En cuisine peut-être auraient été des sots.

PHILAMINTE

Que ce discours grossier terriblement assomme !
Et quelle indignité pour ce qui s'appelle homme
D'être baissé sans cesse aux soins matériels, 545
Au lieu de se hausser vers les spirituels !
Le corps, cette guenille, est-il d'une importance,

D'un prix à mériter seulement qu'on y pense,
Et ne devons-nous pas laisser cela bien loin ?

CHRYSALE

Oui, mon corps est moi-même, et j'en veux prendre 550
[soin.
Guenille si l'on veut, ma guenille m'est chère.

BÉLISE

Le corps avec l'esprit fait figure, mon frère ;
Mais si vous en croyez tout le monde savant,
L'esprit doit sur le corps prendre le pas devant ; 555
Et notre plus grand soin, notre première instance,
Doit être à le nourrir du suc de la science.

CHRYSALE

Ma foi ! si vous songez à nourrir votre esprit,
C'est de viande bien creuse, à ce que chacun dit,
Et vous n'avez nul soin, nulle sollicitude 560
Pour...

PHILAMINTE

Ah ! *sollicitude* à mon oreille est rude :
Il pue étrangement son ancienneté.

BÉLISE

Il est vrai que le mot est bien collet monté.

CHRYSALE

Voulez-vous que je dise ? il faut qu'enfin j'éclate,
Que je lève le masque, et décharge ma rate : 565
De folles on vous traite, et j'ai fort sur le cœur...

PHILAMINTE

Comment donc ?

CHRYSALE

C'est à vous que je parle, ma sœur.

Le moindre solécisme en parlant vous irrite ;
Mais vous en faites, vous, d'étranges en conduite.
Vos livres éternels ne me contentent pas, 570
Et hors un gros Plutarque à mettre mes rabats,
Vous devriez brûler tout ce meuble inutile,
Et laisser la science aux docteurs de la ville ;
M'ôter, pour faire bien, du grenier de céans
Cette longue lunette à faire peur aux gens, 575
Et cent brimborions dont l'aspect importune ;
Ne point aller chercher ce qu'on fait dans la lune,
Et vous mêler un peu de ce qu'on fait chez vous,
Où nous voyons aller tout sens dessus dessous.
Il n'est pas bien honnête, et pour beaucoup de causes, 580
Qu'une femme étudie et sache tant de choses.
Former aux bonnes mœurs l'esprit de ses enfants,
Faire aller son ménage, avoir l'œil sur ses gens,
Et régler la dépense avec économie,
Doit être son étude et sa philosophie. 585
Nos pères sur ce point étaient gens bien sensés,
Qui disaient qu'une femme en sait toujours assez
Quand la capacité de son esprit se hausse
A connaître un pourpoint d'avec un haut-de-chausses.
Les leurs ne lisaient point, mais elles vivaient bien ; 590
Leurs ménages étaient tout leur docte entretien,
Et leurs livres un dé, du fil et des aiguilles,
Dont elles travaillaient au trousseau de leurs filles.
Les femmes d'à présent sont bien loin de ces mœurs :
Elles veulent écrire, et devenir auteurs. 595
Nulle science n'est pour elles trop profonde,
Et céans beaucoup plus qu'en aucun lieu du monde :
Les secrets les plus hauts s'y laissent concevoir,
Et l'on sait tout chez moi, hors ce qu'il faut savoir ;
On y sait comme vont lune, étoile polaire, 600
Vénus, Saturne et Mars, dont je n'ai point affaire ;
Et, dans ce vain savoir, qu'on va chercher si loin,
On ne sait comme va mon pot, dont j'ai besoin.
Mes gens à la science aspirent pour vous plaire,

Et tous ne font rien moins que ce qu'ils ont à faire ; 605
Raisonner est l'emploi de toute ma maison,
Et le raisonnement en bannit la raison :
L'un me brûle mon rôt en lisant quelque histoire ;
L'autre rêve à des vers quand je demande à boire ;
Enfin je vois par eux votre exemple suivi, 610
Et j'ai des serviteurs, et ne suis point servi.
Une pauvre servante au moins m'était restée,
Qui de ce mauvais air n'était point infectée,
Et voilà qu'on la chasse avec un grand fracas,
A cause qu'elle manque à parler Vaugelas. 615
Je vous le dis, ma sœur, tout ce train-là me blesse
(Car c'est, comme j'ai dit, à vous que je m'adresse),
Je n'aime point céans tous vos gens à latin,
Et principalement ce Monsieur Trissotin :
C'est lui qui dans des vers vous a tympanisées ; 620
Tous les propos qu'il tient sont des billevesées ;
On cherche ce qu'il dit après qu'il a parlé,
Et je lui crois, pour moi, le timbre un peu fêlé.

PHILAMINTE

Quelle bassesse, ô Ciel ! et d'âme, et de langage !

BÉLISE

Est-il de petits corps un plus lourd assemblage ! 625
Un esprit composé d'atomes plus bourgeois !
Et de ce même sang se peut-il que je sois !
Je me veux mal de mort d'être de votre race,
Et de confusion j'abandonne la place.

SCÈNE VIII

PHILAMINTE, CHRYSALE

PHILAMINTE

Avez-vous à lâcher encore quelque trait ? 630

CHRYSALE

Moi ? Non. Ne parlons plus de querelle : c'est fait.
Discourons d'autre affaire. A votre fille aînée
On voit quelque dégoût pour les nœuds d'hyménée :
C'est une philosophe enfin, je n'en dis rien,
Elle est bien gouvernée, et vous faites fort bien. 635
Mais de tout autre humeur se trouve sa cadette,
Et je crois qu'il est bon de pourvoir Henriette,
De choisir un mari...

PHILAMINTE

C'est à quoi j'ai songé,
Et je veux vous ouvrir l'intention que j'ai.
Ce Monsieur Trissotin dont on nous fait un crime, 640
Et qui n'a pas l'honneur d'être dans votre estime,
Est celui que je prends pour l'époux qu'il lui faut,
Et je sais mieux que vous juger de ce qu'il vaut :
La contestation est ici superflue,
Et de tout point chez moi l'affaire est résolue. 645
Au moins ne dites mot du choix de cet époux :
Je veux à votre fille en parler avant vous ;
J'ai des raisons à faire approuver ma conduite,
Et je connaîtrai bien si vous l'aurez instruite.

SCÈNE IX

ARISTE, CHRYSALE

ARISTE

Hé bien ? la femme sort, mon frère, et je vois bien 650
Que vous venez d'avoir ensemble un entretien.

CHRYSALE

Oui.

ARISTE

Quel est le succès ? Aurons-nous Henriette ?

A-t-elle consenti ? L'affaire est-elle faite ?

CHRYSALE

Pas tout à fait encor.

ARISTE

Refuse-t-elle ?

CHRYSALE

Non.

ARISTE

Est-ce qu'elle balance ? 655

CHRYSALE

En aucune façon.

ARISTE

Quoi donc ?

CHRYSALE

C'est que pour gendre elle m'offre un autre homme.

ARISTE

Un autre homme pour gendre !

CHRYSALE

Un autre.

ARISTE

Qui se nomme ?

CHRYSALE

Monsieur Trissotin.

ARISTE

Quoi ? ce Monsieur Trissotin...

CHRYSALE

Oui, qui parle toujours de vers et de latin. 660

ARISTE

Vous l'avez accepté ?

CHRYSALE

Moi, point, à Dieu ne plaise.

ARISTE

Qu'avez-vous répondu ?

CHRYSALE

Rien ; et je suis bien aise
De n'avoir point parlé, pour ne m'engager pas.

ARISTE

La raison est fort belle, et c'est faire un grand pas.
Avez-vous su du moins lui proposer Clitandre ? 665

CHRYSALE

Non ; car, comme j'ai vu qu'on parlait d'autre gendre,
J'ai cru qu'il était mieux de ne m'avancer point.

ARISTE

Certes votre prudence est rare au dernier point !
N'avez-vous point de honte avec votre mollesse ?
Et se peut-il qu'un homme ait assez de faiblesse 670
Pour laisser à sa femme un pouvoir absolu,
Et n'oser attaquer ce qu'elle a résolu ?

CHRYSALE

Mon Dieu ! vous en parlez, mon frère, bien à l'aise,
Et vous ne savez pas comme le bruit me pèse.
J'aime fort le repos, la paix, et la douceur, 675

Et ma femme est terrible avecque son humeur.
Du nom de philosophe elle fait grand mystère ;
Mais elle n'en est pas pour cela moins colère ;
Et sa morale, faite à mépriser le bien,
Sur l'aigreur de sa bile opère comme rien. 680
Pour peu que l'on s'oppose à ce que veut sa tête,
On en a pour huit jours d'effroyable tempête.
Elle me fait trembler dès qu'elle prend son ton ;
Je ne sais où me mettre, et c'est un vrai dragon ;
Et cependant, avec toute sa diablerie, 685
Il faut que je l'appelle et « mon cœur » et « ma mie ».

ARISTE

Allez, c'est se moquer. Votre femme, entre nous,
Est par vos lâchetés souveraine sur vous.
Son pouvoir n'est fondé que sur votre faiblesse,
C'est de vous qu'elle prend le titre de maîtresse ; 690
Vous-même à ses hauteurs vous vous abandonnez,
Et vous faites mener en bête par le nez.
Quoi ? vous ne pouvez pas, voyant comme on vous
[nomme,
Vous résoudre une fois à vouloir être un homme ? 695
A faire condescendre une femme à vos vœux,
Et prendre assez de cœur pour dire un : « Je le veux » ?
Vous laisserez sans honte immoler votre fille
Aux folles visions qui tiennent la famille,
Et de tout votre bien revêtir un nigaud, 700
Pour six mots de latin qu'il leur fait sonner haut,
Un pédant qu'à tous coups votre femme apostrophe
Du nom de bel esprit, et de grand philosophe,
D'homme qu'en vers galants jamais on n'égala,
Et qui n'est, comme on sait, rien moins que tout cela ? 705
Allez, encore un coup, c'est une moquerie,
Et votre lâcheté mérite qu'on en rie.

CHRYSALE

Oui, vous avez raison, et je vois que j'ai tort.
Allons, il faut enfin montrer un cœur plus fort,

Mon frère. 710

ARISTE

C'est bien dit.

CHRYSALE

C'est une chose infâme
Que d'être si soumis au pouvoir d'une femme.

ARISTE

Fort bien.

CHRYSALE

De ma douceur elle a trop profité.

ARISTE

Il est vrai.

CHRYSALE

Trop joui de ma facilité.

ARISTE

Sans doute.

CHRYSALE

Et je lui veux faire aujourd'hui connaître
Que ma fille est ma fille, et que j'en suis le maître 715
Pour lui prendre un mari qui soit selon mes vœux.

ARISTE

Vous voilà raisonnable, et comme je vous veux.

CHRYSALE

Vous êtes pour Clitandre, et savez sa demeure :
Faites-le-moi venir, mon frère, tout à l'heure.

ARISTE

J'y cours tout de ce pas. 720

CHRYSALE

C'est souffrir trop longtemps,
Et je m'en vais être homme à la barbe des gens.

ACTE III

SCÈNE I

PHILAMINTE, ARMANDE, BÉLISE, TRISSOTIN, L'ÉPINE

PHILAMINTE

Ah ! mettons-nous ici, pour écouter à l'aise
Ces vers que mot à mot il est besoin qu'on pèse.

ARMANDE

Je brûle de les voir.

BÉLISE

Et l'on s'en meurt chez nous.

PHILAMINTE

Ce sont charmes pour moi que ce qui part de vous. 725

ARMANDE

Ce m'est une douceur à nulle autre pareille.

BÉLISE

Ce sont repas friands qu'on donne à mon oreille.

PHILAMINTE

Ne faites point languir de si pressants désirs.

ARMANDE

Dépêchez.

BÉLISE

Faites tôt, et hâtez nos plaisirs.

PHILAMINTE

A notre impatience offrez votre épigramme. 730

TRISSOTIN

Hélas ! c'est un enfant tout nouveau-né, Madame.
Son sort assurément a lieu de vous toucher,
Et c'est dans votre cour que j'en viens d'accoucher.

PHILAMINTE

Pour me le rendre cher, il suffit de son père.

TRISSOTIN

Votre approbation lui peut servir de mère. 735

BÉLISE

Qu'il a d'esprit !

SCÈNE II

HENRIETTE, PHILAMINTE, ARMANDE
BÉLISE, TRISSOTIN, L'ÉPINE

PHILAMINTE

Holà ! pourquoi donc fuyez-vous ?

HENRIETTE

C'est de peur de troubler un entretien si doux.

PHILAMINTE

Approchez, et venez, de toutes vos oreilles,
Prendre part au plaisir d'entendre des merveilles.

HENRIETTE

Je sais peu les beautés de tout ce qu'on écrit, 740
Et ce n'est pas mon fait que les choses d'esprit.

PHILAMINTE

Il n'importe : aussi bien ai-je à vous dire ensuite
Un secret dont il faut que vous soyez instruite.

TRISSOTIN

Les sciences n'ont rien qui vous puisse enflammer,
Et vous ne vous piquez que de savoir charmer. 745

HENRIETTE

Aussi peu l'un que l'autre, et je n'ai nulle envie...

BÉLISE

Ah ! songeons à l'enfant nouveau-né, je vous prie.

PHILAMINTE

Allons, petit garçon, vite de quoi s'asseoir.

Le laquais tombe avec la chaise.

Voyez l'impertinent ! Est-ce que l'on doit choir,
Après avoir appris l'équilibre des choses ? 750

BÉLISE

De ta chute, ignorant, ne vois-tu pas les causes,
Et qu'elle vient d'avoir du point fixe écarté
Ce que nous appelons centre de gravité ?

L'ÉPINE

Je m'en suis aperçu, Madame, étant par terre.

PHILAMINTE

Le lourdaud ! 755

TRISSOTIN

Bien lui prend de n'être pas de verre.

ARMANDE

Ah ! de l'esprit partout !

BÉLISE

Cela ne tarit pas.

PHILAMINTE

Servez-nous promptement votre aimable repas.

TRISSOTIN

Pour cette grande faim qu'à mes yeux on expose,
Un plat seul de huit vers me semble peu de chose,
Et je pense qu'ici je ne ferai pas mal 760
De joindre à l'épigramme, ou bien au madrigal,
Le ragoût d'un sonnet, qui chez une princesse
A passé pour avoir quelque délicatesse.
Il est de sel attique assaisonné partout,
Et vous le trouverez, je crois, d'assez bon goût. 765

ARMANDE

Ah ! je n'en doute point.

PHILAMINTE

Donnons vite audience.

BÉLISE

A chaque fois qu'il veut lire, elle l'interrompt.

Je sens d'aise mon cœur tressaillir par avance.
J'aime la poésie avec entêtement,
Et surtout quand les vers sont tournés galamment.

PHILAMINTE

Si nous parlons toujours, il ne pourra rien dire. 770

TRISSOTIN

SO...

BÉLISE

Silence ! ma nièce.

TRISSOTIN

SONNET À LA PRINCESSE URANIE SUR SA FIÈVRE

Votre prudence est endormie,
De traiter magnifiquement
Et de loger superbement
Votre plus cruelle ennemie. 775

BÉLISE

Ah ! le joli début !

ARMANDE

Qu'il a le tour galant !

PHILAMINTE

Lui seul des vers aisés possède le talent !

ARMANDE

A prudence endormie il faut rendre les armes.

BÉLISE

Loger son ennemie est pour moi plein de charmes.

PHILAMINTE

J'aime *superbement* et *magnifiquement* : 780

Ces deux adverbes joints font admirablement.

BÉLISE

Prêtons l'oreille au reste.

TRISSOTIN

Votre prudence est endormie,
De traiter magnifiquement
Et de loger superbement 785
Votre plus cruelle ennemie.

ARMANDE

Prudence endormie !

BÉLISE

Loger son ennemie !

PHILAMINTE

Superbement et *magnifiquement !*

TRISSOTIN

Faites-la sortir, quoi qu'on die, 790
De votre riche appartement,
Où cette ingrate insolemment
Attaque votre belle vie.

BÉLISE

Ah ! tout doux, laissez-moi, de grâce, respirer.

ARMANDE

Donnez-nous, s'il vous plaît, le loisir d'admirer. 795

PHILAMINTE

On se sent à ces vers, jusques au fond de l'âme,
Couler je ne sais quoi qui fait que l'on se pâme.

ARMANDE

Faites-la sortir, quoi qu'on die,
De votre riche appartement.
Que *riche appartement* est là joliment dit ! 800
Et que la métaphore est mise avec esprit !

PHILAMINTE

Faites-la sortir, quoi qu'on die.
Ah ! que ce *quoi qu'on die* est d'un goût admirable !
C'est, à mon sentiment, un endroit impayable.

ARMANDE

De *quoi qu'on die* aussi mon cœur est amoureux. 805

BÉLISE

Je suis de votre avis, *quoi qu'on die* est heureux.

ARMANDE

Je voudrais l'avoir fait.

BÉLISE

Il vaut toute une pièce.

PHILAMINTE

Mais en comprend-on bien, comme moi, la finesse ?

ARMANDE *et* BÉLISE

Oh, oh !

PHILAMINTE

Faites-la sortir, quoi qu'on die : 810
Que de la fièvre, on prenne ici les intérêts :
N'ayez aucun égard, moquez-vous des caquets.
Faites-la sortir, quoi qu'on die.

Quoi qu'on die, quoi qu'on die.
Ce *quoi qu'on die* en dit beaucoup plus qu'il ne semble. 815
Je ne sais pas, pour moi, si chacun me ressemble ;
Mais j'entends là-dessous un million de mots.

BÉLISE

Il est vrai qu'il dit plus de choses qu'il n'est gros.

PHILAMINTE

Mais quand vous avez fait ce charmant *quoi qu'on die,*
Avez-vous compris, vous, toute son énergie ? 820
Songiez-vous bien vous-même à tout ce qu'il nous dit,
Et pensiez-vous alors y mettre tant d'esprit ?

TRISSOTIN

Hay, hay.

ARMANDE

J'ai fort aussi l'*ingrate* dans la tête :
Cette ingrate de fièvre, injuste, malhonnête,
Qui traite mal les gens qui la logent chez eux. 825

PHILAMINTE

Enfin les quatrains sont admirables tous deux.
Venons-en promptement aux tiercets, je vous prie.

ARMANDE

Ah ! s'il vous plaît, encore une fois *quoi qu'on die.*

TRISSOTIN

Faites-la sortir, quoi qu'on die,

PHILAMINTE, ARMANDE *et* BÉLISE

Quoi qu'on die ! 830

TRISSOTIN

De votre riche appartement,

PHILAMINTE, ARMANDE *et* BÉLISE

Riche appartement !

TRISSOTIN

Où cette ingrate insolemment

PHILAMINTE, ARMANDE *et* BÉLISE

Cette *ingrate* de fièvre !

TRISSOTIN

Attaque votre belle vie. 835

PHILAMINTE

Votre belle vie !

ARMANDE *et* BÉLISE

Ah !

TRISSOTIN

Quoi ? sans respecter votre rang,
Elle se prend à votre sang,

PHILAMINTE, ARMANDE *et* BÉLISE

Ah ! 840

TRISSOTIN

Et nuit et jour vous fait outrage !
Si vous la conduisez aux bains,
Sans la marchander davantage,
Noyez-la de vos propores mains.

PHILAMINTE

On n'en peut plus. 845

BÉLISE

On pâme.

ARMANDE

On se meurt de plaisir.

PHILAMINTE

De mille doux frissons vous vous sentez saisir.

ARMANDE

Si vous la conduisez aux bains,

BÉLISE

Sans la marchander davantage,

PHILAMINTE

Noyez-la de vos propres mains :
De vos propres mains, là, noyez-la dans les bains. 850

ARMANDE

Chaque pas dans vos vers rencontre un trait charmant.

BÉLISE

Partout on s'y promène avec ravissement.

PHILAMINTE

On n'y saurait marcher que sur de belles choses.

ARMANDE

Ce sont petits chemins tout parsemés de roses.

TRISSOTIN

Le sonnet donc vous semble... 855

PHILAMINTE

Admirable, nouveau,
Et personne jamais n'a rien fait de si beau.

BÉLISE

Quoi ? sans émotion pendant cette lecture ?
Vous faites là, ma nièce, une étrange figure !

HENRIETTE

Chacun fait ici-bas la figure qu'il peut,
Ma tante ; et bel esprit, il ne l'est pas qui veut. 860

TRISSOTIN

Peut-être que mes vers importunent Madame.

HENRIETTE

Point : je n'écoute pas.

PHILAMINTE

Ah ! voyons l'épigramme.

TRISSOTIN

SUR UN CARROSSE DE COULEUR AMARANTE
DONNÉ À UNE DAME DE SES AMIES,

PHILAMINTE

Ses titres ont toujours quelque chose de rare.

ARMANDE

A cent beaux traits d'esprit leur nouveauté prépare.

TRISSOTIN

L'Amour si chèrement m'a vendu son lien 865

BÉLISE, ARMANDE *et* PHILAMINTE

Ah !

TRISSOTIN

Qu'il m'en coûte déjà la moitié de mon bien ;
Et quand tu vois ce beau carrosse,

Où tant d'or se relève en bosse
Qu'il étonne tout le pays, 870
Et fait pompeusement triompher ma Laïs,

PHILAMINTE

Ah ! *ma Laïs !* voilà de l'érudition.

BÉLISE

L'enveloppe est jolie, et vaut un million.

TRISSOTIN

Et quand tu vois ce beau carrosse,
Où tant d'or se relève en bosse 875
Qu'il étonne tout le pays,
Et fait pompeusement triompher ma Laïs,
Ne dis plus qu'il est amarante :
Dis plutôt qu'il est de ma rente.

ARMANDE

Oh, oh, oh ! celui-là ne s'attend point du tout. 880

PHILAMINTE

On n'a que lui qui puisse écrire de ce goût.

BÉLISE

Ne dis plus qu'il est amarante :
Dis plutôt qu'il est de ma rente.
Voilà qui se décline : *ma rente, de ma rente, à ma rente.*

PHILAMINTE

Je ne sais, du moment que je vous ai connu, 885
Si sur votre sujet j'ai l'esprit prévenu,
Mais j'admire partout vos vers et votre prose.

TRISSOTIN

Si vous vouliez de vous nous montrer quelque chose,

A notre tour aussi nous pourrions admirer.

PHILAMINTE

Je n'ai rien fait en vers, mais j'ai lieu d'espérer 890
Que je pourrai bientôt vous montrer, en amie,
Huit chapitres du plan de notre académie.
Platon s'est au projet simplement arrêté,
Quand de sa République il a fait le traité ;
Mais à l'effet entier je veux pousser l'idée 895
Que j'ai sur le papier en prose accommodée.
Car enfin je me sens un étrange dépit
Du tort que l'on nous fait du côté de l'esprit,
Et je veux nous venger, toutes tant que nous sommes,
De cette indigne classe où nous rangent les hommes, 900
De borner nos talents à des futilités,
Et nous fermer la porte aux sublimes clartés.

ARMANDE

C'est faire à notre sexe une trop grande offense,
De n'étendre l'effort de notre intelligence
Qu'à juger d'une jupe et de l'air d'un manteau, 905
Ou des beautés d'un point, ou d'un brocart nouveau.

BÉLISE

Il faut se relever de ce honteux partage,
Et mettre hautement notre esprit hors de page.

TRISSOTIN

Pour les dames on sait mon respect en tous lieux ;
Et, si je rends hommage aux brillants de leurs yeux, 910
De leur esprit aussi j'honore les lumières.

PHILAMINTE

Le sexe aussi vous rend justice en ces matières ;
Mais nous voulons montrer à de certains esprits,
Dont l'orgueilleux savoir nous traite avec mépris,

Que de science aussi les femmes sont meublées ; 915
Qu'on peut faire comme eux de doctes assemblées,
Conduites en cela par des ordres meilleurs,
Qu'on y veut réunir ce qu'on sépare ailleurs,
Mêler le beau langage et les hautes sciences,
Découvrir la nature en mille expériences, 920
Et sur les questions qu'on pourra proposer
Faire entrer chaque secte, et n'en point épouser.

TRISSOTIN

Je m'attache pour l'ordre au péripatétisme.

PHILAMINTE

Pour les abstractions, j'aime le platonisme.

ARMANDE

Épicure me plaît, et ses dogmes sont forts. 925

BÉLISE

Je m'accommode assez pour moi des petits corps ;
Mais le vide à souffrir me semble difficile,
Et je goûte bien mieux la matière subtile.

TRISSOTIN

Descartes pour l'aimant donne fort dans mon sens.

ARMANDE

J'aime ses tourbillons. 930

PHILAMINTE

Moi, ses mondes tombants.

ARMANDE

Il me tarde de voir notre assemblée ouverte,
Et de nous signaler par quelque découverte.

TRISSOTIN

On en attend beaucoup de vos vives clartés,
Et pour vous la nature a peu d'obscurités.

PHILAMINTE

Pour moi, sans me flatter, j'en ai déjà fait une, 935
Et j'ai vu clairement des hommes dans la lune.

BÉLISE

Je n'ai point encor vu d'hommes, comme je crois ;
Mais j'ai vu des clochers tout comme je vous vois.

ARMANDE

Nous approfondirons, ainsi que la physique,
Grammaire, histoire, vers, morale et politique. 940

PHILAMINTE

La morale a des traits dont mon cœur est épris,
Et c'était autrefois l'amour des grands esprits ;
Mais aux Stoïciens je donne l'avantage,
Et je ne trouve rien de si beau que leur sage.

ARMANDE

Pour la langue, on verra dans peu nos règlements, 945
Et nous y prétendons faire des remuements.
Par une antipathie ou juste, ou naturelle,
Nous avons pris chacune une haine mortelle
Pour un nombre de mots, soit ou verbes ou noms,
Que mutuellement nous nous abandonnons ; 950
Contre eux nous préparons de mortelles sentences,
Et nous devons ouvrir nos doctes conférences
Par les proscriptions de tous ces mots divers
Dont nous voulons purger et la prose et les vers.

PHILAMINTE

Mais le plus beau projet de notre académie, 955
Une entreprise noble, et dont je suis ravie,

Un dessein plein de gloire, et qui sera vanté
Chez tous les beaux esprits de la postérité,
C'est le retranchement de ces syllabes sales,
Qui dans les plus beaux mots produisent des scandales, 960
Ces jouets éternels des sots de tous les temps,
Ces fades lieux communs de nos méchants plaisants,
Ces sources d'un amas d'équivoques infâmes,
Dont on vient faire insulte à la pudeur des femmes.

TRISSOTIN

Voilà certainement d'admirables projets ! 965

BÉLISE

Vous verrez nos statuts, quand ils seront tous faits.

TRISSOTIN

Ils ne sauraient manquer d'être tous beaux et sages.

ARMANDE

Nous serons par nos lois les juges des ouvrages ;
Par nos lois, prose et vers, tout nous sera soumis ;
Nul n'aura de l'esprit hors nous et nos amis ; 970
Nous chercherons partout à trouver à redire,
Et ne verrons que nous qui sache bien écrire.

SCÈNE III

TRISSOTIN, PHILAMINTE, BÉLISE, ARMANDE, HENRIETTE, VADIUS, L'ÉPINE

L'ÉPINE

Monsieur, un homme est là qui veut parler à vous ;
Il est vêtu de noir, et parle d'un ton doux.

TRISSOTIN

C'est cet ami savant qui m'a fait tant d'instance 975

De lui donner l'honneur de votre connaissance.

PHILAMINTE

Pour le faire venir vous avez tout crédit.
Faisons bien les honneurs au moins de notre esprit.
Holà ! Je vous ai dit en paroles bien claires
Que j'ai besoin de vous. 980

HENRIETTE

Mais pour quelles affaires ?

PHILAMINTE

Venez, on va dans peu vous les faire savoir.

TRISSOTIN

Voici l'homme qui meurt du désir de vous voir.
En vous le produisant, je ne crains point le blâme
D'avoir admis chez vous un profane, Madame :
Il peut tenir son coin parmi des beaux esprits. 985

PHILAMINTE

La main qui le présente en dit assez le prix.

TRISSOTIN

Il a des vieux auteurs la pleine intelligence,
Et sait du grec, Madame, autant qu'homme de France.

PHILAMINTE

Du grec, ô Ciel ! du grec ! Il sait du grec, ma sœur !

BÉLISE

Ah ! ma nièce, du grec ! 990

ARMANDE

Du grec ! quelle douceur !

PHILAMINTE

Quoi ? Monsieur sait du grec ? Ah ! permettez, de grâce,
Que pour l'amour du grec, Monsieur, on vous
[embrasse.

Il les baise toutes, jusques à Henriette, qui le refuse.

HENRIETTE

Excusez-moi, Monsieur, je n'entends pas le grec.

PHILAMINTE

J'ai pour les livres grecs un merveilleux respect. 995

VADIUS

Je crains d'être fâcheux par l'ardeur qui m'engage
A vous rendre aujourd'hui, Madame, mon hommage,
Et j'aurai pu troubler quelque docte entretien.

PHILAMINTE

Monsieur, avec du grec on ne peut gâter rien.

TRISSOTIN

Au reste, il fait merveille en vers ainsi qu'en prose, 1000
Et pourrait, s'il voulait, vous montrer quelque chose.

VADIUS

Le défaut des auteurs, dans leurs productions,
C'est d'en tyranniser les conversations,
D'être au Palais, au Cours, aux ruelles, aux tables,
De leurs vers fatigants lecteurs infatigables. 1005
Pour moi, je ne vois rien de plus sot à mon sens
Qu'un amateur qui partout va gueuser des encens,
Qui des premiers venus saisissant les oreilles,
En fait le plus souvent les martyrs de ses veilles.
On ne m'a jamais vu ce fol entêtement ; 1010

Et d'un Grec là-dessus je suis le sentiment,
Qui, par un dogme exprès, défend à tous ses sages
L'indigne empressement de lire leurs ouvrages.
Voici de petits vers pour de jeunes amants,
Sur quoi je voudrais bien avoir vos sentiments. 1015

TRISSOTIN

Vos vers ont des beautés que n'ont point tous les autres.

VADIUS

Les Grâces et Vénus règnent dans tous les vôtres.

TRISSOTIN

Vous avez le tour libre, et le beau choix des mots.

VADIUS

On voit partout chez vous l'*ithos* et le *pathos*.

TRISSOTIN

Nous avons vu de vous des églogues d'un style 1020
Qui passe en doux attraits Théocrite et Virgile.

VADIUS

Vos odes ont un air noble, galant et doux,
Qui laisse de bien loin votre Horace après vous.

TRISSOTIN

Est-il rien d'amoureux comme vos chansonnettes ?

VADIUS

Peut-on voir rien d'égal aux sonnets que vous faites ? 1025

TRISSOTIN

Rien qui soit plus charmant que vos petits rondeaux ?

VADIUS

Rien de si plein d'esprit que tous vos madrigaux ?

TRISSOTIN

Aux ballades surtout vous êtes admirables.

VADIUS

Et dans les bouts-rimés je vous trouve adorable.

TRISSOTIN

Si la France pouvait connaître votre prix, 1030

VADIUS

Si le siècle rendait justice aux beaux esprits,

TRISSOTIN

En carrosse doré vous iriez par les rues.

VADIUS

On verrait le public vous dresser des statues.
Hom ! C'est une ballade, et je veux que tout net
Vous m'en... 1035

TRISSOTIN

Avez-vous vu certain petit sonnet
Sur la fièvre qui tient la princesse Uranie ?

VADIUS

Oui, hier il me fut lu dans une compagnie.

TRISSOTIN

Vous en savez l'auteur ?

VADIUS

Non ; mais je sais fort bien
Qu'à ne le point flatter son sonnet ne vaut rien.

TRISSOTIN

Beaucoup de gens pourtant le trouvent admirable. 1040

VADIUS

Cela n'empêche pas qu'il ne soit misérable ;
Et, si vous l'avez vu, vous serez de mon goût.

TRISSOTIN

Je sais que là-dessus je n'en suis point du tout,
Et que d'un tel sonnet peu de gens sont capables.

VADIUS

Me préserve le Ciel d'en faire de semblables ! 1045

TRISSOTIN

Je soutiens qu'on ne peut en faire de meilleur ;
Et ma grande raison, c'est que j'en suis l'auteur.

VADIUS

Vous !

TRISSOTIN

Moi.

VADIUS

Je ne sais donc comment se fit l'affaire.

TRISSOTIN

C'est qu'on fut malheureux de ne pouvoir vous plaire.

VADIUS

Il faut qu'en écoutant j'aie eu l'esprit distrait, 1050
Ou bien que le lecteur m'ait gâté le sonnet.
Mais laissons ce discours et voyons ma ballade.

TRISSOTIN

La ballade, à mon goût, est une chose fade.

Ce n'en est plus la mode ; elle sent son vieux temps.

VADIUS

La ballade pourtant charme beaucoup de gens. 1055

TRISSOTIN

Cela n'empêche pas qu'elle ne me déplaise.

VADIUS

Elle n'en reste pas pour cela plus mauvaise.

TRISSOTIN

Elle a pour les pédants de merveilleux appas.

VADIUS

Cependant nous voyons qu'elle ne vous plaît pas.

TRISSOTIN

Vous donnez sottement vos qualités aux autres. 1060

VADIUS

Fort impertinemment vous me jetez les vôtres.

TRISSOTIN

Allez, petit grimaud, barbouilleur de papier.

VADIUS

Allez, rimeur de balle, opprobre du métier.

TRISSOTIN

Allez, fripier d'écrits, impudent plagiaire.

VADIUS

Allez, cuistre... 1065

PHILAMINTE

Eh ! Messieurs, que prétendez-vous faire ?

TRISSOTIN

Va, va restituer tous les honteux larcins
Que réclament sur toi les Grecs et les Latins.

VADIUS

Va, va-t'en faire amende honorable au Parnasse
D'avoir fait à tes vers estropier Horace.

TRISSOTIN

Souviens-toi de ton livre et de son peu de bruit. 1070

VADIUS

Et toi, de ton libraire à l'hôpital réduit.

TRISSOTIN

Ma gloire est établie ; en vain tu la déchires.

VADIUS

Oui, oui, je te renvoie à l'auteur des *Satires*.

TRISSOTIN

Je t'y renvoie aussi.

VADIUS

J'ai le contentement
Qu'on voit qu'il m'a traité plus honorablement : 1075
Il me donne, en passant, une atteinte légère
Parmi plusieurs auteurs qu'au Palais on révère ;
Mais jamais, dans ses vers, il ne te laisse en paix,
Et l'on t'y voit partout être en butte à ses traits.

TRISSOTIN

C'est par là que j'y tiens un rang plus honorable. 1080
Il te met dans la foule, ainsi qu'un misérable.
Il croit que c'est assez d'un coup pour t'accabler,
Et ne t'a jamais fait l'honneur de redoubler ;
Mais il m'attaque à part, comme un noble adversaire
Sur qui tout son effort lui semble nécessaire ; 1085
Et ses coups contre moi redoublés en tous lieux
Montrent qu'il ne se croit jamais victorieux.

VADIUS

Ma plume t'apprendra quel homme je puis être.

TRISSOTIN

Et la mienne saura te faire voir ton maître.

VADIUS

Je te défie en vers, prose, grec et latin. 1090

TRISSOTIN

Hé bien, nous nous verrons seul à seul chez Barbin.

SCÈNE IV

TRISSOTIN, PHILAMINTE, ARMANDE, BÉLISE, HENRIETTE

TRISSOTIN

A mon emportement ne donnez aucun blâme :
C'est votre jugement que je défends, Madame,
Dans le sonnet qu'il a l'audace d'attaquer.

PHILAMINTE

A vous remettre bien je me veux appliquer. 1095
Mais parlons d'autre affaire. Approchez, Henriette.

Depuis assez longtemps mon âme s'inquiète
De ce qu'aucun esprit en vous ne se fait voir,
Mais je trouve un moyen de vous en faire avoir.

HENRIETTE

C'est prendre un soin pour moi qui n'est pas 1100
[nécessaire :
Les doctes entretiens ne sont point mon affaire ;
J'aime à vivre aisément, et, dans tout ce qu'on dit,
Il faut se trop peiner pour avoir de l'esprit.
C'est une ambition que je n'ai point en tête ; 1105
Je me trouve fort bien, ma mère, d'être bête,
Et j'aime mieux n'avoir que de communs propos,
Que de me tourmenter pour dire de beaux mots.

PHILAMINTE

Oui, mais j'y suis blessée, et ce n'est pas mon compte
De souffrir dans mon sang une pareille honte. 1110
La beauté du visage est un frêle ornement,
Une fleur passagère, un éclat d'un moment,
Et qui n'est attaché qu'à la simple épiderme ;
Mais celle de l'esprit est inhérente et ferme.
J'ai donc cherché longtemps un biais de vous donner 1115
La beauté que les ans ne peuvent moissonner,
De faire entrer chez vous le désir des sciences,
De vous insinuer les belles connaissances ;
Et la pensée enfin où mes vœux ont souscrit,
C'est d'attacher à vous un homme plein d'esprit ; 1120
Et cet homme est Monsieur, que je vous détermine
A voir comme l'époux que mon choix vous destine.

HENRIETTE

Moi, ma mère ?

PHILAMINTE

Oui, vous. Faites la sotte un peu.

BÉLISE

Je vous entends : vos yeux demandent mon aveu,
Pour engager ailleurs un cœur que je possède. 1125
Allez, je le veux bien. A ce nœud je vous cède :
C'est un hymen qui fait votre établissement.

TRISSOTIN

Je ne sais que vous dire en mon ravissement,
Madame, et cet hymen dont je vois qu'on m'honore
Me met... 1130

HENRIETTE

Tout beau, Monsieur, il n'est pas fait encore :
Ne vous pressez pas tant.

PHILAMINTE

Comme vous répondez !
Savez-vous bien que si... Suffit, vous m'entendez.
Elle se rendra sage ; allons, laissons-la faire.

SCÈNE V

HENRIETTE, ARMANDE

ARMANDE

On voit briller pour vous les soins de notre mère,
Et son choix ne pouvait d'un plus illustre époux... 1135

HENRIETTE

Si le choix est si beau, que ne le prenez-vous ?

ARMANDE

C'est à vous, non à moi, que sa main est donnée.

HENRIETTE

Je vous le cède tout, comme à ma sœur aînée.

ARMANDE

Si l'hymen, comme à vous, me paraissait charmant,
J'accepterais votre offre avec ravissement. 1140

HENRIETTE

Si j'avais, comme vous, les pédants dans la tête,
Je pourrais le trouver un parti fort honnête.

ARMANDE

Cependant, bien qu'ici nos goûts soient différents,
Nous devons obéir, ma sœur, à nos parents :
Une mère a sur nous une entière puissance, 1145
Et vous croyez en vain par votre résistance...

SCÈNE VI

CHRYSALE, ARISTE, CLITANDRE, HENRIETTE, ARMANDE

CHRYSALE

Allons, ma fille, il faut approuver mon dessein :
Otez ce gant ; touchez à Monsieur dans la main,
Et le considérez désormais dans votre âme
En homme dont je veux que vous soyez la femme. 1150

ARMANDE

De ce côté, ma sœur, vos penchants sont fort grands.

HENRIETTE

Il nous faut obéir, ma sœur, à nos parents.
Un père a sur nos vœux une entière puissance.

ARMANDE

Une mère a sa part à notre obéissance.

CHRYSALE

Qu'est-ce à dire ? 1155

ARMANDE

Je dis que j'appréhende fort
Qu'ici ma mère et vous ne soyez pas d'accord ;
Et c'est un autre époux...

CHRYSALE

Taisez-vous, péronnelle !
Allez philosopher tout le soûl avec elle,
Et de mes actions ne vous mêlez en rien.
Dites-lui ma pensée, et l'avertissez bien 1160
Qu'elle ne vienne pas m'échauffer les oreilles :
Allons vite.

ARISTE

Fort bien : vous faites des merveilles.

CLITANDRE

Quel transport ! quelle joie ! ah ! que mon sort est [doux !

CHRYSALE

Allons, prenez sa main, et passez devant nous, 1165
Menez-la dans sa chambre. Ah ! les douces caresses !
Tenez, mon cœur s'émeut à toutes ces tendresses,
Cela ragaillardit tout à fait mes vieux jours,
Et je me ressouviens de mes jeunes amours.

ACTE IV

SCÈNE I

ARMANDE, PHILAMINTE

ARMANDE

Oui, rien n'a retenu son esprit en balance : 1170
Elle a fait vanité de son obéissance.

Son cœur, pour se livrer, à peine devant moi
S'est-il donné le temps d'en recevoir la loi,
Et semblait suivre moins les volontés d'un père
Qu'affecter de braver les ordres d'une mère. 1175

PHILAMINTE

Je lui montrerai bien aux lois de qui des deux
Les droits de la raison soumettent tous ses vœux,
Et qui doit gouverner, ou sa mère ou son père,
Ou l'esprit ou le corps, la forme ou la matière.

ARMANDE

On vous en devait bien au moins un compliment ; 1180
Et ce petit Monsieur en use étrangement,
De vouloir malgré vous devenir votre gendre.

PHILAMINTE

Il n'en est pas encore où son cœur peut prétendre.
Je le trouvais bien fait, et j'aimais vos amours ;
Mais dans ses procédés il m'a déplu toujours. 1185
Il sait que, Dieu merci, je me mêle d'écrire,
Et jamais il ne m'a prié de lui rien lire.

SCÈNE II

CLITANDRE, ARMANDE, PHILAMINTE

ARMANDE

Je ne souffrirais point, si j'étais que de vous,
Que jamais d'Henriette il pût être l'époux.
On me ferait grand tort d'avoir quelque pensée 1190
Que là-dessus je parle en fille intéressée,
Et que le lâche tour que l'on voit qu'il me fait
Jette au fond de mon cœur quelque dépit secret :
Contre de pareils coups l'âme se fortifie

Du solide secours de la philosophie, 1195
Et par elle on se peut mettre au-dessus de tout.
Mais vous traiter ainsi, c'est vous pousser à bout :
Il est de votre honneur d'être à ses vœux contraire,
Et c'est un homme enfin qui ne doit point vous plaire.
Jamais je n'ai connu, discourant entre nous, 1200
Qu'il eût au fond du cœur de l'estime pour vous.

PHILAMINTE

Petit sot !

ARMANDE

Quelque bruit que votre gloire fasse,
Toujours à vous louer il a paru de glace.

PHILAMINTE

Le brutal !

ARMANDE

Et vingt fois, comme ouvrages nouveaux,
J'ai lu des vers de vous qu'il n'a point trouvé beaux. 1205

PHILAMINTE

L'impertinent !

ARMANDE

Souvent nous en étions aux prises ;
Et vous ne croiriez point de combien de sottises...

CLITANDRE

Eh ! doucement, de grâce : un peu de charité,
Madame, ou tout au moins un peu d'honnêteté.
Quel mal vous ai-je fait ? et quelle est mon offense, 1210
Pour armer contre moi toute votre éloquence ?
Pour vouloir me détruire, et prendre tant de soin
De me rendre odieux aux gens dont j'ai besoin ?

Parlez, dites, d'où vient ce courroux effroyable ?
Je veux bien que Madame en soit juge équitable. 1215

ARMANDE

Si j'avais le courroux dont on veut m'accuser,
Je trouverais assez de quoi l'autoriser :
Vous en seriez trop digne, et les premières flammes
S'établissent des droits si sacrés sur les âmes
Qu'il faut perdre fortune, et renoncer au jour, 1220
Plutôt que de brûler des feux d'un autre amour ;
Au changement de vœux nulle horreur ne s'égale,
Et tout cœur infidèle est un monstre en morale.

CLITANDRE

Appelez-vous, Madame, une infidélité
Ce que m'a de votre âme ordonné la fierté ? 1225
Je ne fais qu'obéir aux lois qu'elle m'impose ;
Et si je vous offense, elle seule en est cause.
Vos charmes ont d'abord possédé tout mon cœur ;
Il a brûlé deux ans d'une constante ardeur ;
Il n'est soins empressés, devoirs, respects, services, 1230
Dont il ne vous ait fait d'amoureux sacrifices.
Tous mes feux, tous mes soins ne peuvent rien sur
[vous ;
Je vous trouve contraire à mes vœux les plus doux.
Ce que vous refusez, je l'offre au choix d'une autre. 1235
Voyez : est-ce, Madame, ou ma faute, ou la vôtre ?
Mon cœur court-il au change, ou si vous l'y poussez ?
Est-ce moi qui vous quitte, ou vous qui me chassez ?

ARMANDE

Appelez-vous, Monsieur, être à vos vœux contraire,
Que de leur arracher ce qu'ils ont de vulgaire, 1240
Et vouloir les réduire à cette pureté
Où du parfait amour consiste la beauté ?
Vous ne sauriez pour moi tenir votre pensée
Du commerce des sens nette et débarrassée ?

Et vous ne goûtez point, dans ses plus doux appas, 1245
Cette union des cœurs où les corps n'entrent pas ?
Vous ne pouvez aimer que d'une amour grossière ?
Qu'avec tout l'attirail des nœuds de la matière ?
Et pour nourrir les feux que chez vous on produit,
Il faut un mariage, et tout ce qui s'ensuit ? 1250
Ah ! quel étrange amour ! et que les belles âmes
Sont bien loin de brûler de ces terrestres flammes !
Les sens n'ont point de part à toutes leurs ardeurs,
Et ce beau feu ne veut marier que les cœurs ;
Comme une chose indigne, il laisse là le reste. 1255
C'est un feu pur et net comme le feu céleste ;
On ne pousse, avec lui, que d'honnêtes soupirs,
Et l'on ne penche point vers les sales désirs ;
Rien d'impur ne se mêle au but qu'on se propose ;
On aime pour aimer, et non pour autre chose ; 1260
Ce n'est qu'à l'esprit seul que vont tous les transports,
Et l'on ne s'aperçoit jamais qu'on ait un corps.

CLITANDRE

Pour moi, par un malheur, je m'aperçois, Madame,
Que j'ai, ne vous déplaise, un corps tout comme une
[âme : 1265
Je sens qu'il y tient trop pour le laisser à part ;
De ces détachements je ne connais point l'art :
Le Ciel m'a dénié cette philosophie,
Et mon âme et mon corps marchent de compagnie.
Il n'est rien de plus beau, comme vous avez dit, 1270
Que ces vœux épurés qui ne vont qu'à l'esprit,
Ces unions de cœurs, et ces tendres pensées
Du commerce des sens si bien débarrassées.
Mais ces amours pour moi sont trop subtilisés ;
Je suis un peu grossier, comme vous m'accusez ; 1275
J'aime avec tout moi-même, et l'amour qu'on me donne
En veut, je le confesse, à toute la personne.
Ce n'est pas là matière à de grands châtiments ;
Et, sans faire de tort à vos beaux sentiments,

Je vois que dans le monde on suit fort ma méthode, 1280
Et que le mariage est assez à la mode,
Passe pour un lien assez honnête et doux
Pour avoir désiré de me voir votre époux,
Sans que la liberté d'une telle pensée
Ait dû vous donner lieu d'en paraître offensée. 1285

ARMANDE

Hé bien, Monsieur ! hé bien ! puisque, sans m'écouter,
Vos sentiments brutaux veulent se contenter ;
Puisque, pour vous réduire à des ardeurs fidèles,
Il faut des nœuds de chair, des chaînes corporelles,
Si ma mère le veut, je résous mon esprit 1290
A consentir pour vous à ce dont il s'agit.

CLITANDRE

Il n'est plus temps, Madame : une autre a pris la place ;
Et par un tel retour j'aurais mauvaise grâce
De maltraiter l'asile et blesser les bontés
Où je me suis sauvé de toutes vos fiertés. 1295

PHILAMINTE

Mais enfin comptez-vous, Monsieur, sur mon suffrage,
Quand vous vous promettez cet autre mariage ?
Et, dans vos visions, savez-vous, s'il vous plaît,
Que j'ai pour Henriette un autre époux tout prêt ?

CLITANDRE

Eh, Madame ! voyez votre choix, je vous prie : 1300
Exposez-moi, de grâce, à moins d'ignominie,
Et ne me rangez pas à l'indigne destin
De me voir le rival de Monsieur Trissotin.
L'amour des beaux esprits, qui chez vous m'est
[contraire, 1305
Ne pouvait m'opposer un moins noble adversaire.
Il en est, et plusieurs, que pour le bel esprit

Le mauvais goût du siècle a su mettre en crédit ;
Mais Monsieur Trissotin n'a pu duper personne,
Et chacun rend justice aux écrits qu'il nous donne : 1310
Hors céans, on le prise en tous lieux ce qu'il vaut ;
Et ce qui m'a vingt fois fait tomber de mon haut,
C'est de vous voir au ciel élever des sornettes
Que vous désavoueriez, si vous les aviez faites.

PHILAMINTE

Si vous jugez de lui tout autrement que nous, 1315
C'est que nous le voyons par d'autres yeux que vous.

SCÈNE III

TRISSOTIN, ARMANDE, PHILAMINTE, CLITANDRE

TRISSOTIN

Je viens vous annoncer une grande nouvelle.
Nous l'avons en dormant, Madame, échappé belle :
Un monde près de nous a passé tout du long,
Est chu tout au travers de notre tourbillon ; 1320
Et s'il eût en chemin rencontré notre terre,
Elle eût été brisée en morceaux comme verre.

PHILAMINTE

Remettons ce discours pour une autre saison :
Monsieur n'y trouverait ni rime, ni raison ;
Il fait profession de chérir l'ignorance, 1325
Et de haïr surtout l'esprit et la science.

CLITANDRE

Cette vérité veut quelque adoucissement.
Je m'explique, Madame, et je hais seulement
La science et l'esprit qui gâtent les personnes.

Ce sont choses de soi qui sont belles et bonnes ; 1330
Mais j'aimerais mieux être au rang des ignorants
Que de me voir savant comme certaines gens.

TRISSOTIN

Pour moi, je ne tiens pas, quelque effet qu'on suppose,
Que la science soit pour gâter quelque chose.

CLITANDRE

Et c'est mon sentiment qu'en faits, comme en propos, 1335
La science est sujette à faire de grands sots.

TRISSOTIN

Le paradoxe est fort.

CLITANDRE

Sans être fort habile,
La preuve m'en serait, je pense, assez facile :
Si les raisons manquaient, je suis sûr qu'en tout cas
Les exemples fameux ne me manqueraient pas. 1340

TRISSOTIN

Vous en pourriez citer qui ne concluraient guère.

CLITANDRE

Je n'irais pas bien loin pour trouver mon affaire.

TRISSOTIN

Pour moi, je ne vois pas ces exemples fameux.

CLITANDRE

Moi, je les vois si bien qu'ils me crèvent les yeux.

TRISSOTIN

J'ai cru jusques ici que c'était l'ignorance 1345

Qui faisait les grands sots, et non pas la science.

CLITANDRE

Vous avez cru fort mal, et je vous suis garant
Qu'un sot savant est sot plus qu'un sot ignorant.

TRISSOTIN

Le sentiment commun est contre vos maximes,
Puisque ignorant et sot sont termes synonymes. 135

CLITANDRE

Si vous le voulez prendre aux usages du mot,
L'alliance est plus grande entre pédant et sot.

TRISSOTIN

La sottise dans l'un se fait voir toute pure.

CLITANDRE

Et l'étude dans l'autre ajoute à la nature.

TRISSOTIN

Le savoir garde en soi son mérite éminent. 135

CLITANDRE

Le savoir dans un fat devient impertinent.

TRISSOTIN

Il faut que l'ignorance ait pour vous de grands charmes,
Puisque pour elle ainsi vous prenez tant les armes.

CLITANDRE

Si pour moi l'ignorance a des charmes bien grands,
C'est depuis qu'à mes yeux s'offrent certains savants. 136

TRISSOTIN

Ces certains savants-là peuvent, à les connaître,

Valoir certaines gens que nous voyons paraître.

CLITANDRE

Oui, si l'on s'en rapporte à ces certains savants ;
Mais on n'en convient pas chez ces certaines gens.

PHILAMINTE

Il me semble, Monsieur... 1365

CLITANDRE

Eh, Madame ! de grâce :
Monsieur est assez fort, sans qu'à son aide on passe ;
Je n'ai déjà que trop d'un si rude assaillant,
Et si je me défends, ce n'est qu'en reculant.

ARMANDE

Mais l'offensante aigreur de chaque repartie
Dont vous... 1370

CLITANDRE

Autre second : je quitte la partie.

PHILAMINTE

On souffre aux entretiens ces sortes de combats,
Pourvu qu'à la personne on ne s'attaque pas.

CLITANDRE

Eh, mon Dieu ! tout cela n'a rien dont il s'offense :
Il entend raillerie autant qu'homme de France ;
Et de bien d'autres traits il s'est senti piquer, 1375
Sans que jamais sa gloire ait fait que s'en moquer.

TRISSOTIN

Je ne m'étonne pas, au combat que j'essuie,
De voir prendre à Monsieur la thèse qu'il appuie.

Il est fort enfoncé dans la cour, c'est tout dit :
La cour, comme l'on sait, ne tient pas pour l'esprit ; 1380
Elle a quelque intérêt d'appuyer l'ignorance,
Et c'est en courtisan qu'il en prend la défense.

CLITANDRE

Vous en voulez beaucoup à cette pauvre cour,
Et son malheur est grand de voir que chaque jour
Vous autres beaux esprits vous déclamiez contre elle, 1385
Que de tous vos chagrins vous lui fassiez querelle,
Et, sur son méchant goût lui faisant son procès,
N'accusiez que lui seul de vos méchants succès.
Permettez-moi, Monsieur Trissotin, de vous dire,
Avec tout le respect que votre nom m'inspire, 1390
Que vous feriez fort bien, vos confrères et vous,
De parler de la cour d'un ton un peu plus doux ;
Qu'à le bien prendre, au fond, elle n'est pas si bête
Que vous autres Messieurs vous vous mettez en tête ;
Qu'elle a du sens commun pour se connaître à tout ; 1395
Que chez elle on se peut former quelque bon goût ;
Et que l'esprit du monde y vaut, sans flatterie,
Tout le savoir obscur de la pédanterie.

TRISSOTIN

De son bon goût, Monsieur, nous voyons des effets.

CLITANDRE

Où voyez-vous, Monsieur, qu'elle l'ait si mauvais ? 1400

TRISSOTIN

Ce que je vois, Monsieur, c'est que pour la science
Rasius et Baldus font honneur à la France,
Et que tout leur mérite, exposé fort au jour,

N'attire point les yeux et les dons de la cour.

CLITANDRE

Je vois votre chagrin, et que par modestie 1405
Vous ne vous mettez point, Monsieur, de la partie ;
Et pour ne vous point mettre aussi dans le propos,
Que font-ils pour l'État vos habiles héros ?
Qu'est-ce que leurs écrits lui rendent de service,
Pour accuser la cour d'une horrible injustice, 1410
Et se plaindre en tous lieux que sur leurs doctes noms
Elle manque à verser la faveur de ses dons ?
Leur savoir à la France est beaucoup nécessaire,
Et des livres qu'ils font la cour a bien affaire.
Il semble à trois gredins, dans leur petit cerveau, 1415
Que, pour être imprimés, et reliés en veau,
Les voilà dans l'État d'importantes personnes ;
Qu'avec leur plume ils font les destins des couronnes ;
Qu'au moindre petit bruit de leurs productions
Ils doivent voir chez eux voler les pensions ; 1420
Que sur eux l'univers a la vue attachée ;
Que partout de leur nom la gloire est épanchée,
Et qu'en science ils sont des prodiges fameux,
Pour savoir ce qu'ont dit les autres avant eux,
Pour avoir eu trente ans des yeux et des oreilles, 1425
Pour avoir employé neuf ou dix mille veilles
A se bien barbouiller de grec et de latin,
Et se charger l'esprit d'un ténébreux butin
De tous les vieux fatras qui traînent dans les livres :
Gens qui de leur savoir paraissent toujours ivres, 1430
Riches, pour tout mérite, en babil importun,
Inhabiles à tout, vides de sens commun,
Et pleins d'un ridicule et d'une impertinence
A décrier partout l'esprit et la science.

PHILAMINTE

Votre chaleur est grande, et cet emportement 1435
De la nature en vous marque le mouvement :

C'est le nom de rival qui dans votre âme excite...

SCÈNE IV

JULIEN, TRISSOTIN, PHILAMINTE, CLITANDRE, ARMANDE

JULIEN

Le savant qui tantôt vous a rendu visite,
Et de qui j'ai l'honneur de me voir le valet,
Madame, vous exhorte à lire ce billet. 1440

PHILAMINTE

Quelque important que soit ce qu'on veut que je lise,
Apprenez, mon ami, que c'est une sottise
De se venir jeter au travers d'un discours,
Et qu'aux gens d'un logis il faut avoir recours,
Afin de s'introduire en valet qui sait vivre. 1445

JULIEN

Je noterai cela, Madame, dans mon livre.

PHILAMINTE *lit :*

Trissotin s'est vanté, Madame, qu'il épouserait votre fille. Je vous donne avis que sa philosophie n'en veut qu'à vos richesses, et que vous ferez bien de ne point conclure ce mariage que vous n'ayez vu le poème que je compose contre lui. En attendant cette peinture, où je prétends vous le dépeindre de toutes ses couleurs, je vous envoie Horace, Virgile, Térence, et Catulle, où vous verrez notés en marge tous les endroits qu'il a pillés.

Voilà sur cet hymen que je me suis promis
Un mérite attaqué de beaucoup d'ennemis ;
Et ce déchaînement aujourd'hui me convie
A faire une action qui confonde l'envie, 1450

Qui lui fasse sentir que l'effort qu'elle fait
De ce qu'elle veut rompre aura pressé l'effet.
Reportez tout cela sur l'heure à votre maître,
Et lui dites qu'afin de lui faire connaître
Quel grand état je fais de ses nobles avis 1455
Et comme je les crois dignes d'être suivis,
Dès ce soir à Monsieur je marierai ma fille.
Vous, Monsieur, comme ami de toute la famille,
A signer leur contrat vous pourrez assister,
Et je vous y veux bien, de ma part, inviter. 1460
Armande, prenez soin d'envoyer au Notaire,
Et d'aller avertir votre sœur de l'affaire.

ARMANDE

Pour avertir ma sœur, il n'en est pas besoin,
Et Monsieur que voilà saura prendre le soin
De courir lui porter bientôt cette nouvelle, 1465
Et disposer son cœur à vous être rebelle.

PHILAMINTE

Nous verrons qui sur elle aura plus de pouvoir,
Et si je la saurai réduire à son devoir.

Elle s'en va.

ARMANDE

J'ai grand regret, Monsieur, de voir qu'à vos visées
Les choses ne soient pas tout à fait disposées. 1470

CLITANDRE

Je m'en vais travailler, Madame, avec ardeur,
A ne vous point laisser ce grand regret au cœur.

ARMANDE

J'ai peur que votre effort n'ait pas trop bonne issue.

CLITANDRE

Peut-être verrez-vous votre crainte déçue.

ARMANDE

Je le souhaite ainsi. 1475

CLITANDRE

J'en suis persuadé,
Et que de votre appui je serai secondé.

ARMANDE

Oui, je vais vous servir de toute ma puissance.

CLITANDRE

Et ce service est sûr de ma reconnaissance.

SCÈNE V

CHRYSALE, ARISTE, HENRIETTE, CLITANDRE

CLITANDRE

Sans votre appui, Monsieur, je serai malheureux :
Madame votre femme a rejeté mes vœux, 1480
Et son cœur prévenu veut Trissotin pour gendre.

CHRYSALE

Mais quelle fantaisie a-t-elle donc pu prendre ?
Pourquoi diantre vouloir ce Monsieur Trissotin ?

ARISTE

C'est par l'honneur qu'il a de rimer à latin
Qu'il a sur son rival emporté l'avantage. 1485

CLITANDRE

Elle veut dès ce soir faire ce mariage.

CHRYSALE

Dès ce soir ?

CLITANDRE

Dès ce soir.

CHRYSALE

Et dès ce soir je veux,
Pour la contrecarrer, vous marier vous deux.

CLITANDRE

Pour dresser le contrat, elle envoie au Notaire.

CHRYSALE

Et je vais le quérir pour celui qu'il doit faire. 1490

CLITANDRE

Et Madame doit être instruite par sa sœur
De l'hymen où l'on veut qu'elle apprête son cœur.

CHRYSALE

Et moi, je lui demande avec pleine puissance
De préparer sa main à cette autre alliance.
Ah ! je leur ferai voir si, pour donner la loi, 1495
Il est dans ma maison d'autre maître que moi.
Nous allons revenir, songez à nous attendre.
Allons, suivez mes pas, mon frère, et vous, mon gendre.

HENRIETTE

Hélas ! dans cette humeur conservez-le toujours.

ARISTE

J'emploierai toute chose à servir vos amours. 1500

CLITANDRE

Quelque secours puissant qu'on promette à ma flamme,
Mon plus solide espoir, c'est votre cœur, Madame.

HENRIETTE

Pour mon cœur, vous pouvez vous assurer de lui.

CLITANDRE

Je ne puis qu'être heureux, quand j'aurai son appui.

HENRIETTE

Vous voyez à quels nœuds on prétend le contraindre. 150

CLITANDRE

Tant qu'il sera pour moi, je ne vois rien à craindre.

HENRIETTE

Je vais tout essayer pour nos vœux les plus doux :
Et si tous mes efforts ne me donnent à vous,
Il est une retraite où notre âme se donne
Qui m'empêchera d'être à toute autre personne. 151

CLITANDRE

Veuille le juste Ciel me garder en ce jour
De recevoir de vous cette preuve d'amour !

ACTE V

SCÈNE I

HENRIETTE, TRISSOTIN

HENRIETTE

C'est sur le mariage où ma mère s'apprête
Que j'ai voulu, Monsieur, vous parler tête à tête ;
Et j'ai cru, dans le trouble où je vois la maison, 151

Que je pourrais vous faire écouter la raison.
Je sais qu'avec mes vœux vous me jugez capable
De vous porter en dot un bien considérable ;
Mais l'argent, dont on voit tant de gens faire cas,
Pour un vrai philosophe a d'indignes appas ; 1520
Et le mépris du bien et des grandeurs frivoles
Ne doit point éclater dans vos seules paroles.

TRISSOTIN

Aussi n'est-ce point là ce qui me charme en vous ;
Et vos brillants attraits, vos yeux perçants et doux,
Votre grâce, et votre air, sont les biens, les richesses, 1525
Qui vous ont attiré mes vœux et mes tendresses :
C'est de ces seuls trésors que je suis amoureux.

HENRIETTE

Je suis fort redevable à vos feux généreux :
Cet obligeant amour a de quoi me confondre,
Et j'ai regret, Monsieur, de n'y pouvoir répondre. 1530
Je vous estime autant qu'on saurait estimer ;
Mais je trouve un obstacle à vous pouvoir aimer :
Un cœur, vous le savez, à deux ne saurait être,
Et je sens que du mien Clitandre s'est fait maître.
Je sais qu'il a bien moins de mérite que vous, 1535
Que j'ai de méchants yeux pour le choix d'un époux,
Que par cent beaux talents vous devriez me plaire ;
Je vois bien que j'ai tort, mais je n'y puis que faire ;
Et tout ce que sur moi peut le raisonnement,
C'est de me vouloir mal d'un tel aveuglement. 1540

TRISSOTIN

Le don de votre main où l'on me fait prétendre
Me livrera ce cœur que possède Clitandre ;
Et par mille doux soins j'ai lieu de présumer
Que je pourrai trouver l'art de me faire aimer.

HENRIETTE

Non : à ses premiers vœux mon âme est attachée, 1545
Et ne peut de vos soins, Monsieur, être touchée.

Avec vous librement j'ose ici m'expliquer,
Et mon aveu n'a rien qui vous doive choquer.
Cette amoureuse ardeur qui dans les cœurs s'excite
N'est point, comme l'on sait, un effet du mérite : 1550
Le caprice y prend part, et quand quelqu'un nous plaît,
Souvent nous avons peine à dire pourquoi c'est.
Si l'on aimait, Monsieur, par choix et par sagesse,
Vous auriez tout mon cœur et toute ma tendresse ;
Mais on voit que l'amour se gouverne autrement. 1555
Laissez-moi, je vous prie, à mon aveuglement,
Et ne vous servez point de cette violence
Que pour vous on veut faire à mon obéissance.
Quand on est honnête homme, on ne veut rien devoir
A ce que des parents ont sur nous de pouvoir ; 1560
On répugne à se faire immoler ce qu'on aime,
Et l'on veut n'obtenir un cœur que de lui-même.
Ne poussez point ma mère à vouloir par son choix
Exercer sur mes vœux la rigueur de ses droits ;
Otez-moi votre amour, et portez à quelque autre 1565
Les hommages d'un cœur aussi cher que le vôtre.

TRISSOTIN

Le moyen que ce cœur puisse vous contenter ?
Imposez-lui des lois qu'il puisse exécuter.
De ne vous point aimer peut-il être capable,
A moins que vous cessiez, Madame, d'être aimable, 1570
Et d'étaler aux yeux les célestes appas...

HENRIETTE

Eh, Monsieur ! laissons là ce galimatias.
Vous avez tant d'Iris, de Philis, d'Amarantes,
Que partout dans vos vers vous peignez si charmantes,
Et pour qui vous jurez tant d'amoureuse ardeur... 1575

TRISSOTIN

C'est mon esprit qui parle, et ce n'est pas mon cœur.
D'elles on ne me voit amoureux qu'en poète ;

Mais j'aime tout de bon l'adorable Henriette.

HENRIETTE

Eh ! de grâce, Monsieur...

TRISSOTIN

Si c'est vous offenser,
Mon offense envers vous n'est pas prête à cesser. 1580
Cette ardeur, jusqu'ici de vos yeux ignorée,
Vous consacre des vœux d'éternelle durée ;
Rien n'en peut arrêter les aimables transports ;
Et, bien que vos beautés condamnent mes efforts,
Je ne puis refuser le secours d'une mère 1585
Qui prétend couronner une flamme si chère ;
Et pourvu que j'obtienne un bonheur si charmant,
Pourvu que je vous aie, il n'importe comment.

HENRIETTE

Mais savez-vous qu'on risque un peu plus qu'on ne
[pense 1590
A vouloir sur un cœur user de violence ?
Qu'il ne fait pas bien sûr, à vous le trancher net,
D'épouser une fille en dépit qu'elle en ait,
Et qu'elle peut aller, en se voyant contraindre,
A des ressentiments que le mari doit craindre ? 1595

TRISSOTIN

Un tel discours n'a rien dont je sois altéré ;
A tous événements le sage est préparé ;
Guéri par la raison des faiblesses vulgaires,
Il se met au-dessus de ces sortes d'affaires,
Et n'a garde de prendre aucune ombre d'ennui 1600
De tout ce qui n'est pas pour dépendre de lui.

HENRIETTE

En vérité, Monsieur, je suis de vous ravie ;

Et je ne pensais pas que la philosophie
Fût si belle qu'elle est, d'instruire ainsi les gens
A porter constamment de pareils accidents. 1605
Cette fermeté d'âme, à vous si singulière,
Mérite qu'on lui donne une illustre matière,
Est digne de trouver qui prenne avec amour
Les soins continuels de la mettre en son jour ;
Et comme, à dire vrai, je n'oserais me croire 1610
Bien propre à lui donner tout l'éclat de sa gloire,
Je le laisse à quelque autre, et vous jure entre nous
Que je renonce au bien de vous voir mon époux.

TRISSOTIN

Nous allons voir bientôt comment ira l'affaire,
Et l'on a là-dedans fait venir le Notaire. 1615

SCÈNE II

CHRYSALE, CLITANDRE, MARTINE, HENRIETTE

CHRYSALE

Ah, ma fille ! je suis bien aise de vous voir.
Allons, venez-vous-en faire votre devoir,
Et soumettre vos vœux aux volontés d'un père.
Je veux, je veux apprendre à vivre à votre mère,
Et, pour la mieux braver, voilà, malgré ses dents, 1620
Martine que j'amène, et rétablis céans.

HENRIETTE

Vos résolutions sont dignes de louange.
Gardez que cette humeur, mon père, ne vous change,
Soyez ferme à vouloir ce que vous souhaitez,
Et ne vous laissez point séduire à vos bontés ; 1625
Ne vous relâchez pas, et faites bien en sorte
D'empêcher que sur vous ma mère ne l'emporte.

CHRYSALE

Comment ? Me prenez-vous ici pour un benêt ?

HENRIETTE

M'en préserve le Ciel !

CHRYSALE

Suis-je un fat, s'il vous plaît ?

HENRIETTE

Je ne dis pas cela. 1630

CHRYSALE

Me croit-on incapable.
Des fermes sentiments d'un homme raisonnable ?

HENRIETTE

Non, mon père.

CHRYSALE

Est-ce donc qu'à l'âge où je me vois,
Je n'aurais pas l'esprit d'être maître chez moi ?

HENRIETTE

Si fait.

CHRYSALE

Et que j'aurais cette faiblesse d'âme,
De me laisser mener par le nez à ma femme ? 1635

HENRIETTE

Eh ! non, mon père.

CHRYSALE

Ouais ! qu'est-ce donc que ceci ?

Je vous trouve plaisante à me parler ainsi.

HENRIETTE

Si je vous ai choqué, ce n'est pas mon envie.

CHRYSALE

Ma volonté céans doit être en tout suivie.

HENRIETTE

Fort bien, mon père. 1640

CHRYSALE

Aucun, hors moi, dans la maison,
N'a droit de commander.

HENRIETTE

Oui, vous avez raison.

CHRYSALE

C'est moi qui tiens le rang de chef de la famille.

HENRIETTE

D'accord.

CHRYSALE

C'est moi qui dois disposer de ma fille.

HENRIETTE

Eh ! oui.

CHRYSALE

Le Ciel me donne un plein pouvoir sur vous.

HENRIETTE

Qui vous dit le contraire ? 1645

CHRYSALE

Et pour prendre un époux,
Je vous ferai bien voir que c'est à votre père
Qu'il vous faut obéir, non pas à votre mère.

HENRIETTE

Hélas ! vous flattez là les plus doux de mes vœux.
Veuillez être obéi, c'est tout ce que je veux.

CHRYSALE

Nous verrons si ma femme, à mes désirs rebelle... 1650

CLITANDRE

La voici qui conduit le Notaire avec elle.

CHRYSALE

Secondez-moi bien tous.

MARTINE

Laissez-moi, j'aurai soin
De vous encourager, s'il en est de besoin.

SCÈNE III

PHILAMINTE, BÉLISE, ARMANDE, TRISSOTIN,
LE NOTAIRE, CHRYSALE, CLITANDRE, HENRIETTE,
MARTINE

PHILAMINTE

Vous ne sauriez changer votre style sauvage,
Et nous faire un contrat qui soit en beau langage ? 1655

LE NOTAIRE

Notre style est très bon, et je serais un sot,

Madame, de vouloir y changer un seul mot.

BÉLISE

Ah ! quelle barbarie au milieu de la France !
Mais au moins, en faveur, Monsieur, de la science,
Veuillez, au lieu d'écus, de livres et de francs, 1660
Nous exprimer la dot en mines et talents,
Et dater par les mots d'ides et de calendes.

LE NOTAIRE

Moi ? Si j'allais, Madame, accorder vos demandes,
Je me ferais siffler de tous mes compagnons.

PHILAMINTE

De cette barbarie en vain nous nous plaignons. 1665
Allons, Monsieur, prenez la table pour écrire.
Ah ! ah ! cette impudente ose encor se produire ?
Pourquoi donc, s'il vous plaît, la ramener chez moi ?

CHRYSALE

Tantôt, avec loisir, on vous dira pourquoi.
Nous avons maintenant autre chose à conclure. 1670

LE NOTAIRE

Procédons au contrat. Où donc est la future ?

PHILAMINTE

Celle que je marie est la cadette.

LE NOTAIRE

Bon.

CHRYSALE

Oui. La voilà, Monsieur ; Henriette est son nom.

LE NOTAIRE

Fort bien. Et le futur ?

PHILAMINTE

L'époux que je lui donne
Est Monsieur. 1675

CHRYSALE

Et celui, moi, qu'en propre personne
Je prétends qu'elle épouse, est Monsieur.

LE NOTAIRE

Deux époux !
C'est trop pour la coutume.

PHILAMINTE

Où vous arrêtez-vous ?
Mettez, mettez, Monsieur, Trissotin pour mon gendre.

CHRYSALE

Pour mon gendre, mettez, mettez, Monsieur, Clitandre.

LE NOTAIRE

Mettez-vous donc d'accord, et d'un jugement mûr 1680
Voyez à convenir entre vous du futur.

PHILAMINTE

Suivez, suivez, Monsieur, le choix où je m'arrête.

CHRYSALE

Faites, faites, Monsieur, les choses à ma tête.

LE NOTAIRE

Dites-moi donc à qui j'obéirai des deux ?

PHILAMINTE

Quoi donc ! Vous combattez les choses que je veux ? 1685

CHRYSALE

Je ne saurais souffrir qu'on ne cherche ma fille
Que pour l'amour du bien qu'on voit dans ma famille.

PHILAMINTE

Vraiment, à votre bien on songe bien ici,
Et c'est là pour un sage un fort digne souci !

CHRYSALE

Enfin, pour son époux j'ai fait choix de Clitandre. 1690

PHILAMINTE

Et moi, pour son époux, voici qui je veux prendre :
Mon choix sera suivi, c'est un point résolu.

CHRYSALE

Ouais ! vous le prenez là d'un ton bien absolu.

MARTINE

Ce n'est point à la femme à prescrire, et je sommes
Pour céder le dessus en toute chose aux hommes. 1695

CHRYSALE

C'est bien dit.

MARTINE

Mon congé cent fois me fût-il hoc,
La poule ne doit point chanter devant le coq.

CHRYSALE

Sans doute.

MARTINE

Et nous voyons que d'un homme on se gausse,

Quand sa femme chez lui porte le haut-de-chausses.

CHRYSALE

Il est vrai. 1700

MARTINE

Si j'avais un mari, je le dis,
Je voudrais qu'il se fît le maître du logis ;
Je ne l'aimerais point, s'il faisait le jocrisse ;
Et si je contestais contre lui par caprice,
Si je parlais trop haut, je trouverais fort bon
Qu'avec quelques soufflets il rabaissât mon ton. 1705

CHRYSALE

C'est parler comme il faut.

MARTINE

Monsieur est raisonnable
De vouloir pour sa fille un mari convenable.

CHRYSALE

Oui.

MARTINE

Par quelle raison, jeune et bien fait qu'il est,
Lui refuser Clitandre ? Et pourquoi, s'il vous plaît,
Lui bailler un savant, qui sans cesse épilogue ? 1710
Il lui faut un mari, non pas un pédagogue ;
Et ne voulant savoir le grais, ni le latin,
Elle n'a pas besoin de Monsieur Trissotin.

CHRYSALE

Fort bien.

PHILAMINTE

Il faut souffrir qu'elle jase à son aise.

MARTINE

Les savants ne sont bons que pour prêcher en chaise ; 1715
Et pour mon mari, moi, mille fois je l'ai dit,
Je ne voudrais jamais prendre un homme d'esprit.
L'esprit n'est point du tout ce qu'il faut en ménage ;
Les livres cadrent mal avec le mariage ;
Et je veux, si jamais on engage ma foi, 1720
Un mari qui n'ait point d'autre livre que moi,
Qui ne sache A ne B, n'en déplaise à Madame,
Et ne soit en un mot docteur que pour sa femme.

PHILAMINTE

Est-ce fait ? et sans trouble ai-je assez écouté
Votre digne interprète ? 1725

CHRYSALE

Elle a dit vérité.

PHILAMINTE

Et moi, pour trancher court toute cette dispute,
Il faut qu'absolument mon désir s'exécute.
Henriette et Monsieur seront joints de ce pas :
Je l'ai dit, je le veux : ne me répliquez pas ;
Et si votre parole à Clitandre est donnée, 1730
Offrez-lui le parti d'épouser son aînée.

CHRYSALE

Voilà dans cette affaire un accommodement.
Voyez, y donnez-vous votre consentement ?

HENRIETTE

Eh, mon père !

CLITANDRE

Eh, Monsieur !

BÉLISE

On pourrait bien lui faire
Des propositions qui pourraient mieux lui plaire : 1735
Mais nous établissons une espèce d'amour
Qui doit être épuré comme l'astre du jour :
La substance qui pense y peut être reçue,
Mais nous en bannissons la substance étendue.

SCÈNE DERNIÈRE

ARISTE, CHRYSALE, PHILAMINTE, BÉLISE, HENRIETTE,
ARMANDE, TRISSOTIN, LE NOTAIRE,
CLITANDRE, MARTINE

ARISTE

J'ai regret de troubler un mystère joyeux 1740
Par le chagrin qu'il faut que j'apporte en ces lieux.
Ces deux lettres me font porteur de deux nouvelles,
Dont j'ai senti pour vous les atteintes cruelles :
L'une, pour vous, me vient de votre procureur ;
L'autre, pour vous, me vient de Lyon. 1745

PHILAMINTE

Quel malheur,
Digne de nous troubler, pourrait-on nous écrire ?

ARISTE

Cette lettre en contient un que vous pouvez lire.

PHILAMINTE

Madame, j'ai prié Monsieur votre frère de vous rendre cette lettre, qui vous dira ce que je n'ai osé vous aller dire. La grande négligence que vous avez pour vos affaires a été cause que le clerc de votre rapporteur ne m'a point averti, et vous avez perdu absolument votre procès que vous deviez gagner.

CHRYSALE

Votre procès perdu !

PHILAMINTE

Vous vous troublez beaucoup !
Mon cœur n'est point du tout ébranlé de ce coup.
Faites, faites paraître une âme moins commune, 1750
A braver, comme moi, les traits de la fortune.

Le peu de soin que vous avez vous coûte quarante mille écus, et c'est à payer cette somme, avec les dépens, que vous êtes condamnée par arrêt de la Cour.

Condamnée ! Ah ! ce mot est choquant, et n'est fait
Que pour les criminels.

ARISTE

Il a tort en effet,
Et vous vous êtes là justement récriée.
Il devait avoir mis que vous êtes priée, 1755
Par arrêt de la Cour, de payer au plus tôt,
Quarante mille écus, et les dépens qu'il faut.

PHILAMINTE

Voyons l'autre.

CHRYSALE *lit.*

Monsieur, l'amitié qui me lie à Monsieur votre frère me fait prendre intérêt à tout ce qui vous touche. Je sais que vous avez mis votre bien entre les mains d'Argante et de Damon, et je vous donne avis qu'en même jour ils ont fait tous deux banqueroute.

O Ciel ! tout à la fois perdre ainsi tout mon bien !

PHILAMINTE

Ah ! quel honteux transport ! Fi ! tout cela n'est rien. 1760
Il n'est pour le vrai sage aucun revers funeste,

Et perdant toute chose, à soi-même il se reste.
Achevons notre affaire, et quittez votre ennui :
Son bien peut nous suffire, et pour nous, et pour lui.

TRISSOTIN

Non, Madame : cessez de presser cette affaire. 1765
Je vois qu'à cet hymen tout le monde est contraire,
Et mon dessein n'est point de contraindre les gens.

PHILAMINTE

Cette réflexion vous vient en peu de temps !
Elle suit de bien près, Monsieur, notre disgrâce.

TRISSOTIN

De tant de résistance à la fin je me lasse. 1770
J'aime mieux renoncer à tout cet embarras,
Et ne veux point d'un cœur qui ne se donne pas.

PHILAMINTE

Je vois, je vois de vous, non pas pour votre gloire,
Ce que jusques ici j'ai refusé de croire.

TRISSOTIN

Vous pouvez voir de moi tout ce que vous voudrez, 1775
Et je regarde peu comment vous le prendrez.
Mais je ne suis point homme à souffrir l'infamie
Des refus offensants qu'il faut qu'ici j'essuie ;
Je vaux bien que de moi l'on fasse plus de cas,
Et je baise les mains à qui ne me veut pas. 1780

PHILAMINTE

Qu'il a bien découvert son âme mercenaire !
Et que peu philosophe est ce qu'il vient de faire !

CLITANDRE

Je ne me vante point de l'être, mais enfin
Je m'attache, Madame, à tout votre destin.

Et j'ose vous offrir avecque ma personne 1785
Ce qu'on sait que de bien la fortune me donne.

PHILAMINTE

Vous me charmez, Monsieur, par ce trait généreux,
Et je veux couronner vos désirs amoureux.
Oui, j'accorde Henriette à l'ardeur empressée...

HENRIETTE

Non, ma mère : je change à présent de pensée. 1790
Souffrez que je résiste à votre volonté.

CLITANDRE

Quoi ? vous vous opposez à ma félicité ?
Et lorsqu'à mon amour je vois chacun se rendre...

HENRIETTE

Je sais le peu de bien que vous avez, Clitandre,
Et je vous ai toujours souhaité pour époux, 1795
Lorsqu'en satisfaisant à mes vœux les plus doux,
J'ai vu que mon hymen ajustait vos affaires ;
Mais lorsque nous avons les destins si contraires,
Je vous chéris assez dans cette extrémité
Pour ne vous charger point de notre adversité. 1800

CLITANDRE

Tout destin, avec vous, me peut être agréable ;
Tout destin me serait, sans vous, insupportable.

HENRIETTE

L'amour dans son transport parle toujours ainsi.
Des retours importuns évitons le souci :
Rien n'use tant l'ardeur de ce nœud qui nous lie 1805
Que les fâcheux besoins des choses de la vie ;
Et l'on en vient souvent à s'accuser tous deux
De tous les noirs chagrins qui suivent de tels feux.

ARISTE

N'est-ce que le motif que nous venons d'entendre
Qui vous fait résister à l'hymen de Clitandre ? 1810

HENRIETTE

Sans cela, vous verriez tout mon cœur y courir,
Et je ne fuis sa main que pour le trop chérir.

ARISTE

Laissez-vous donc lier par des chaînes si belles.
Je ne vous ai porté que de fausses nouvelles ;
Et c'est un stratagème, un surprenant secours, 1815
Que j'ai voulu tenter pour servir vos amours,
Pour détromper ma sœur, et lui faire connaître
Ce que son philosophe à l'essai pouvait être.

CHRYSALE

Le Ciel en soit loué !

PHILAMINTE

J'en ai la joie au cœur,
Par le chagrin qu'aura ce lâche déserteur. 1820
Voilà le châtiment de sa basse avarice,
De voir qu'avec éclat cet hymen s'accomplisse.

CHRYSALE

Je le savais bien, moi, que vous l'épouseriez.

ARMANDE

Ainsi donc à leurs vœux vous me sacrifiez ?

PHILAMINTE

Ce ne sera point vous que je leur sacrifie, 1825
Et vous avez l'appui de la philosophie,
Pour voir d'un œil content couronner leur ardeur.

BÉLISE

Qu'il prenne garde au moins que je suis dans son cœur :
Par un prompt désespoir souvent on se marie,
Qu'on s'en repent après tout le temps de sa vie. 1830

CHRYSALE

Allons, Monsieur, suivez l'ordre que j'ai prescrit,
Et faites le contrat ainsi que je l'ai dit.

TABLE DES MATIÈRES

MOLIÈRE 7

Présentation des *Précieuses ridicules* 11

LES PRÉCIEUSES RIDICULES

Préface 17
Personnages 21
Acte unique 23

Présentation des *Femmes savantes* 49

LES FEMMES SAVANTES

Personnages 55
Acte I 57
Acte II 70
Acte III 95
Acte IV 122
Acte V 138

IMPRIMÉ EN FRANCE PAR BRODARD ET TAUPIN
Usine de La Flèche (Sarthe), le 06-08-1998
031/98 - Dépôt légal, septembre 1998